D0263499

Zu diesem Buch

Das Grauen vor sich selbst und die Skrupel an der eigenen Vergangenheit haben den Sohn eines Hamburger Reeders, der als Offizier des letzten Krieges an Folterungen von Kriegsgefangenen beteiligt war, in die Selbstverbannung getrieben. Während der dreizehn Jahre frei gewählter Abgeschlossenheit in der Zellenenge eines abgedunkelten Zimmers hat nur die Schwester Zutritt zu dem am Rande des Wahnsinns dahinvegetierenden Mann. Durch inzestuöse Liebe an den Bruder gekettet, bewacht sie eifersüchtig seine Einsamkeit und bekräftigt ihn in der irrealen Vorstellung, daß Deutschland ein verwüstetes Trümmerfeld sei. Als der Vater und die Schwägerin Johanna in die starre Unzulänglichkeit des Eingesperrten einbrechen, als sich ihm gleichzeitig das sorgsam gehütete Trugbild von einem zerstörten und für seine Verfehlungen büßenden Vaterland als bloße Selbstvorspiegelung entlarvt, da bricht der tragische Sturm hoffnungsloser Erkenntnisse und Unausweichlichkeit mit der äußeren dramatischen Gewalt harter Fragen und scheidender Repliken aus. Der Sohn, der seinen persönlichen Sühneversuch zur Farce degradiert sieht, nötigt dem Vater, dem immer erfolgreichen, immer opportunistischen Diener der alten und neuen Herren, das Bekenntnis seiner Mitschuld ab; einer moralischen Schuld, von der sich der Schuldiggewordene nur durch die volle Sühne zu befreien vermag.

Jean-Paul Sartre wurde am 21. Juni 1905 in Paris geboren. Mit seinem 1943 erschienenen philosophischen Hauptwerk *Das Sein und das Nichts* wurde er zum wichtigsten Vertreter des Existentialismus und zu einem der einflußreichsten Denker der ersten Hälfte des 20. Jahrhunderts. Darüber hinaus machten ihn seine Theaterstücke, Romane, Erzählungen und Essays weltbekannt. Durch sein bedingungsloses humanitäres Engagement, besonders im französischen Algerien-Krieg und im amerikanischen Vietnam-Krieg, wurde er zu einer Art Weltgewissen. 1964 lehnte er die Annahme des Nobelpreises für Literatur ab. Jean-Paul Sartre starb am 15. April 1980 in Paris.

Jean-Paul Sartre

Die Eingeschlossenen

[Les Séquestrés d'Altona]

Rowohlt

Die Originalausgabe erschien bei Librairie Gallimard, Paris,
unter dem Titel «Les Séquestrés d'Altona»
Aus dem Französischen übertragen von
Herbert Liebmann und Renate Gerhardt
Umschlagentwurf Werner Rebhuhn
unter Verwendung eines Szenenfotos, das anläßlich der deutschen Erstaufführung in den Münchner Kammerspielen am 29. April 1960 aufgenommen wurde. Das Foto zeigt Anaid Iplicjian und Peter Mosbacher
(Foto: Hildegard Steinmetz, Gräfelfing bei München)

154.–159. Tausend Dezember 1982

Veröffentlicht im Rowohlt Taschenbuch Verlag GmbH,
Reinbek bei Hamburg, Dezember 1962

Gesetzt aus der Linotype-Garamond
mit Handsatzergänzungen der D. Stempel AG
Gesamtherstellung Clausen & Bosse, Leck
Printed in Germany
580-ISBN 3 499 10551 9

Ich glaubte, ich hätte mir den Namen Gerlach ausgedacht. Ich habe mich getäuscht: er war eine Reminiszenz. Ich bedaure meinen Irrtum um so mehr, als es sich um den Namen eines der mutigsten und bekanntesten Gegner des Nationalsozialismus handelt.
Hellmuth von Gerlach weihte sein Leben dem Kampf für den Frieden und für eine Versöhnung zwischen Frankreich und Deutschland. 1933 stand er unter den ersten Namen der von den Nazis Geächteten; man beschlagnahmte sein persönliches Vermögen und das seiner Familie. Zwei Jahre später starb er im Exil, nachdem er seine letzten Kräfte eingesetzt hatte, um seinen geflüchteten Landsleuten beizustehen.
Es ist zu spät, die Namen der Personen dieses Stückes zu ändern, aber ich bitte seine Freunde und alle, die ihm nahestanden, meinen Ausdruck tiefsten Bedauerns entgegenzunehmen.

(Für die deutsche Ausgabe wurde der Name ‹von Gerlach› in ‹Gerlach› geändert. Der Verlag.)

Die Besetzung der Uraufführung von «Les séquestrés d'Altona» in Paris im Théâtre de la Renaissance am 23. September 1959

LENI	Marie-Olivier
JOHANNA	Evelyne Rey
WERNER	Robert Moncade
LE PÈRE	Fernand Ledoux
FRANTZ	Serge Reggiani
LE S. S. ET L'AMÉRICAIN	William Wissmer
LA FEMME	Catherine Leccia
LIEUTENANT KLAGES	Georges Pierre
UN FELDWEBEL	André Bonnardel

Bühnenbild: Yvon Henry
Regie: François Darbon

Die Besetzung der deutschen Erstaufführung von «Die Eingeschlossenen» in den Münchner Kammerspielen am 29. April 1960

DER VATER	Peter Lühr
LENI GERLACH	Hanne Hiob
FRANZ GERLACH	Peter Mosbacher
WERNER GERLACH	Romuald Pekny
JOHANNA GERLACH, *Werners Frau*	Anaid Iplicjian
FELDWEBEL HEINRICH	Günter Gräwert
LEUTNANT KLAGES	Peter Lieck
EINE FRAU	Edith Schultze-Westrum
SS-FÜHRER	Wilmut Borell

Bühnenbild: Jörg Zimmermann
Regie: August Everding

ERSTER AKT

Ein großer Raum, vollgestopft mit protzigen und häßlichen Möbeln der Jahrhundertwende. Eine Innentreppe führt zu einem kleinen Treppenabsatz. Auf diesen mündet eine verschlossene Tür. Rechts gehen zwei Glastüren auf einen dicht belaubten Park. Das Licht, das von draußen durch das Blattwerk der Bäume fällt, wirkt fast grün. Im Hintergrund, rechts und links, zwei Türen. An der Rückwand drei große Photos von Franz; unten und rechts über den Rahmen ein Trauerflor.

1. SZENE

Leni, Werner, Johanna

Leni stehend, Werner in einem Sessel, Johanna auf einem Kanapee sitzend. Sie sprechen nicht. Nach einer Weile schlägt die große deutsche Standuhr dreimal. Werner springt auf.

LENI *hell auflachend, im Kommandoton:* Achtung! *Pause.* Mit 33 Jahren! *Gereizt.* Aber so setz dich doch wieder!

JOHANNA: Warum? Es ist doch so weit.

LENI: So weit? Nein – jetzt fängt das Warten doch erst an. *Werner zuckt mit den Achseln. Zu Werner.* Wir müssen warten, das weißt du sehr wohl.

JOHANNA: Woher soll er es wissen?

LENI: Weil es die Regel ist. Bei jedem Familienrat ...

JOHANNA: Hat es viele gegeben?

LENI: Das waren unsere Feste.

JOHANNA: Jeder feiert so gut er kann. Und was sonst?

LENI *fortfahrend:* Werner kam zu früh, und der alte Hindenburg kommt zu spät.

WERNER *zu Johanna:* Glaube ihr kein Wort: Vater ist immer von militärischer Pünktlichkeit gewesen.

LENI: Sehr richtig. Trotzdem haben wir hier auf ihn warten müssen, während er in seinem Büro eine Zigarre rauchte und auf die Uhr sah. Um drei Uhr zehn trat er dann militärisch ein. Zehn Minuten, keine mehr, keine weniger. Zwölf Minuten bei den Betriebsversammlungen, acht Minuten, wenn er bei einer Sitzung des Verwaltungsrates das Präsidium führte.

JOHANNA: Warum immer so viel Umstände?

LENI: Damit wir Zeit hatten, Angst zu haben.

JOHANNA: Und auf den Helligen?

LENI: Ein Chef kommt immer als letzter.

JOHANNA *erstaunt:* Wie? Wer behauptet das? *Sie lacht.* Daran glaubt doch heutzutage kein Mensch mehr.

LENI: Der alte Hindenburg hat fünfzig Jahre seines Lebens daran geglaubt.

JOHANNA: Vielleicht, aber heute ...

LENI: Heute glaubt er nichts mehr. *Pause.* Und trotzdem wird er zehn Minuten zu spät kommen. Die Prinzipien ändern sich, die Gewohnheiten bleiben: Bismarck lebte noch, als unser Vater die seinen annahm. *Zu Werner.* Erinnerst du dich nicht mehr daran, wie wir immer gewartet haben? *Zu Johanna.* Er zitterte, er fragte, wer wohl bestraft werden würde!

WERNER: Hast du nicht gezittert, Leni?

LENI *lacht trocken:* Ich? Ich starb vor Angst, aber ich sagte mir: er wird dafür bezahlen.

JOHANNA *ironisch:* Nun, hat er bezahlt?

LENI *lächelnd, aber sehr hart:* Er ist dabei. *Sie wendet sich an Werner.* Wer wird bestraft, Werner? Wer von uns beiden wird bestraft? Wie uns das verjüngt! *Mit plötzlicher Heftigkeit.* Ich verabscheue Opfer, die vor ihren Henkern noch Respekt haben.

JOHANNA: Werner ist kein Opfer.

LENI: Sieh ihn dir doch an.

JOHANNA *auf den Spiegel zeigend:* Sieh dich doch selbst an.

LENI *überrascht:* Ich mich?

JOHANNA: So stolz bist du auch nicht! Und du sprichst zuviel.

LENI: Ja — um euch die Zeit zu vertreiben: ich habe schon lange keine Angst mehr vor Vater. Und diesmal wissen wir auch, was er uns sagen wird.

WERNER: Ich habe nicht die mindeste Ahnung.

LENI: Nicht die mindeste? Du Heuchler, du Pharisäer! Alles, was dir unbequem ist, das verdrängst du! *Zu Johanna.* Der alte Hindenburg wird krepieren, Johanna. Hast du das etwa nicht gewußt?

JOHANNA: Nein.

WERNER: Das ist nicht wahr! *Er bebt vor Erregung.* Ich sage dir, das ist nicht wahr.

LENI: Hör auf zu zittern! *Mit plötzlicher Heftigkeit.* Krepieren, ja – krepieren! Wie ein Hund! Und du hast es genau gewußt. Der beste Beweis dafür ist, daß du Johanna alles erzählt hast.

JOHANNA: Du irrst dich, Leni.

LENI: Ach, geh doch! Vor dir hat er doch keine Geheimnisse.

JOHANNA: Er hat eben doch welche.

LENI: Und von wem weißt du es?

JOHANNA: Von dir.

LENI *überrascht:* Von mir?

JOHANNA: Vor drei Wochen, nach der Sprechstunde, hast du dich mit einem der Ärzte im Blauen Salon getroffen.

LENI: Ja, mit Hilbert. Na und?

JOHANNA: Ich bin dir damals auf dem Gang begegnet: er hatte sich gerade verabschiedet.

LENI: Na und?

JOHANNA: Das ist alles. *Pause.* Dein Gesicht verrät dich, Leni!

LENI: Das wußte ich nicht. Danke. Sah ich so erfreut aus?

JOHANNA: Du sahst entsetzt aus.

LENI *schreit:* Das ist nicht wahr!

Sie faßt sich wieder.

JOHANNA *sanft:* Sieh dir doch deinen Mund im Spiegel an: das Entsetzen ist auf ihm zurückgeblieben.

LENI *kurz:* Die Spiegel – die überlasse ich dir.

WERNER *auf die Lehne seines Sessels trommelnd:* Schluß damit! *Er betrachtet sie wütend.* Wenn es wahr ist, daß Vater sterben muß, dann habt doch wenigstens so viel Anstand, zu schweigen. *Zu Leni.* Was fehlt ihm denn? *Sie antwortet nicht.* Ich fragte dich, was ihm fehlt.

LENI: Das weißt du doch selbst.

WERNER: Das ist nicht wahr!

LENI: Du hast es zwanzig Minuten früher gewußt als ich.

JOHANNA: Leni? Wie willst du . . .?

LENI: Ehe er in den Blauen Salon ging, ist Hilbert durch den Roten Salon gegangen. Dort hat er meinen Bruder getroffen und ihm alles gesagt.

JOHANNA *überrascht:* Werner! *Er lümmelt sich in seinem Sessel, ohne zu antworten.* Ich . . . ich verstehe nicht.

LENI: Du kennst die Gerlachs noch nicht, Johanna.

JOHANNA *auf Werner zeigend:* In Hamburg habe ich vor drei Jahren einen kennengelernt, und ich habe mich auf der Stelle in ihn verliebt; er war frei, offen, fröhlich. Und was habt ihr aus ihm gemacht!

LENI: Hatte dein Gerlach damals, in Hamburg, auch schon Angst, den Mund aufzumachen?

JOHANNA: Ich sage dir doch, nein.

LENI: Er gibt sich nur hier so, wie er wirklich ist.

JOHANNA *zu Werner gewandt, traurig:* Du hast mich also belogen!

WERNER *lebhaft und heftig:* Kein Wort mehr. *Auf Leni zeigend.* Sieh dir doch ihr Lächeln an: sie bereitet das Terrain vor.

JOHANNA: Für wen?

WERNER: Für Vater. Uns haben sie als Opfer ausersehen, und als erstes suchen sie uns auseinanderzubringen. Was du auch denken magst, mach mir bitte keinen Vorwurf: du tätest nur ihnen einen Gefallen damit.

JOHANNA *zärtlich, aber ernst:* Ich habe dir gar keinen Vorwurf zu machen.

WERNER *heftig und zerstreut:* Na schön, um so besser. Um so besser!

JOHANNA: Was wollen sie eigentlich von uns?

WERNER: Hab keine Angst: sie werden es uns schon sagen.

Schweigen.

JOHANNA: Was fehlt ihm denn eigentlich?

LENI: Wem?

JOHANNA: Na — Vater.

LENI: Kehlkopfkrebs.

JOHANNA: Stirbt man daran?

LENI: Im allgemeinen ja. *Pause.* Es kann sich aber hinziehen. *Sanft.* Du hast einmal Sympathie für ihn empfunden, nicht wahr?

JOHANNA: Die empfinde ich noch.

LENI: Er gefiel allen Frauen. *Pause.* Was für eine Strafe! Dieser Mund, der so sehr geliebt wurde . . . *Sie bemerkt, daß Johanna nicht versteht.* Du weißt vielleicht nicht, aber Kehlkopfkrebs hat nun einmal diese entsetzliche Folge . . .

JOHANNA *die nun begriffen hat:* Sei still!

LENI: Du wirst noch eine echte Gerlach. Bravo!

Sie holt eine Bibel, einen dicken und schweren Band aus dem 16. Jahrhundert, und es kostet sie einige Mühe, ihn zum Tisch zu bringen.

JOHANNA: Was ist das?

LENI: Die Bibel. Es ist bei uns üblich, sie beim Familienrat auf dem Tisch zu haben. *Johanna blickt sie erstaunt an. Leni setzt etwas gereizt hinzu:* Ja: für den Fall, daß wir schwören.

JOHANNA: Es gibt hier nichts zu schwören.

LENI: Weiß man das immer?

JOHANNA *lacht, um sich Mut zu machen:* Du glaubst doch weder an Gott noch an den Teufel.

LENI: Das stimmt. Aber wir gehen in die Kirche und wir schwören auf die Bibel. Ich habe dir ja gesagt: ihre Lebensberechtigung hat diese Familie verloren, aber ihre guten Lebensgewohnheiten hat sie sich bewahrt. *Sie sieht auf die Uhr.* Drei Uhr zehn, Werner: du kannst aufstehen.

2. SZENE

Die gleichen, der Vater, Franz

Im gleichen Augenblick tritt der Vater durch die Glastür ein. Werner hört, daß sich die Tür öffnet, und dreht sich halb um. Johanna ist sich unschlüssig, ob sie sich erheben soll oder nicht; endlich entschließt sie sich widerwillig dazu, aufzustehen.

Aber der Vater durchquert schnellen Schrittes das Zimmer und nötigt sie, wieder Platz zu nehmen, indem er ihr die Hände auf die Schultern legt.

DER VATER: Aber ich bitte dich, mein Kind. *Sie nimmt wieder Platz, er neigt sich über sie, küßt ihr die Hand, wendet sich ziemlich plötzlich um und blickt Werner und Leni an.* Mit einem Wort: ich brauche euch wohl nichts mehr zu sagen? Um so besser! Dann können wir also gleich in medias res gehen. Und ohne Zeremonien, nicht wahr? *Nach kurzem Schweigen.* Also, ich bin verurteilt. *Werner faßt ihn am Arm. Der Vater macht sich fast gewaltsam los.* Ich habe gesagt: keine Zeremonien. *Werner dreht sich verletzt um und setzt sich wieder. Kurze Pause. Dann sieht der Vater alle drei an und sagt mit etwas rauher Stimme:* Wie ihr an meinen Tod glaubt! *Ohne sie aus den Augen zu lassen, so, als wolle er sich selbst überzeugen.* Ich werde krepieren. Ich werde krepieren. Das steht fest. *Er faßt sich wieder. Fast scherzend.* Liebe Kinder! Die Natur spielt mir den allerschlimmsten Streich. Ich will mich nicht besser machen, als ich bin, aber dieser Körper ist nie jemand zur Last gefallen. In sechs Monaten werde ich alle Unannehmlichkeiten einer Leiche, aber nicht ihre Vorteile haben. *Auf eine Gebärde von Werner lachend.* Setz dich: ich werde mich in Zukunft etwas gewählter ausdrücken.

LENI *interessiert und freundlich:* Du wirst ...

DER VATER: Glaubst du etwa, ich werde einigen Zellen Extravaganzen gestatten – ich, der Stahl auf allen Wassern schwimmen läßt? *Nach kurzem Schweigen.* Sechs Monate, das ist mehr, als ich brauche, um meine Angelegenheiten in Ordnung zu bringen.

WERNER: Und was wird nach diesen sechs Monaten?

DER VATER: Danach? Was soll denn werden? Nichts.

LENI: Gar nichts?

DER VATER: Der Tod eines Industriellen: die Natur wird zum letzten Male in ihr Recht gesetzt.

WERNER *mit erstickter Stimme:* In ihr Recht? Durch wen?

DER VATER: Durch dich – wenn du dazu fähig bist. *Werner springt erschrocken auf, der Vater lacht.* Also ich werde alles ordnen. Ihr braucht euch nur noch um meine Beerdigung zu kümmern. *Schweigen.* Genug davon. *Ein langes Schweigen. Zu Johanna, liebevoll.* Mein Kind, ich bitte dich noch um ein wenig Geduld. *Zu Leni und Werner, in verändertem Ton.* Ihr werdet schwören – einer nach dem anderen.

JOHANNA *unruhig:* Was für Zeremonien! Du hast doch selbst gesagt, daß du keine wünschst. Was gibt es da zu schwören?

DER VATER *gutmütig:* Nicht viel, liebe Schwiegertochter. Und außerdem: Angeheiratete brauchen nicht zu schwören. *Er wendet sich an seinen Sohn mit einer Feierlichkeit, von der man nicht weiß, ob sie ironisch oder ernst gemeint ist.* Werner, steh auf. Mein Sohn, du warst Rechtsanwalt. Nach dem Tode von Franz habe ich dich zu meinem Stellvertreter gemacht, und du hast keinen Augenblick gezögert, deine Praxis aufzugeben. Das verlangt eine Belohnung: du wirst der Herr in diesem Hause und der Chef des Unternehmens werden. *Zu Johanna.* Kein Grund zur Beunruhigung, wie du siehst: ich gebe meiner Welt nur einen neuen König. *Johanna schweigt.* Nicht einverstanden?

JOHANNA: Es ist nicht meine Sache, dir zu antworten.

DER VATER: Werner! *Ungeduldig.* Du lehnst ab?

WERNER *mürrisch und verwirrt:* Ich werde tun, was du wünschst.

DER VATER: Das versteht sich von selbst. *Er sieht ihn an.* Aber du tust es nur ungern?

WERNER: Ja.

DER VATER: Das größte Schiffsbauunternehmen in Europa! Es fällt dir in den Schoß, und dir blutet das Herz. Warum eigentlich?

WERNER: Ich ... sagen wir, ich sei dessen nicht würdig.

DER VATER: Das ist schon möglich. Aber ich kann nichts daran ändern: Du bist nun mal mein einziger männlicher Erbe.

WERNER: Franz besaß alle erforderlichen Qualitäten.

DER VATER: Bis auf eine, denn er ist tot.

WERNER: Bedenke, daß ich ein guter Anwalt war. Und daß ich mich ungern damit abfinden werde, ein schlechter Chef zu sein.

DER VATER: Du wirst vielleicht gar keinen so schlechten Chef abgeben.

WERNER: Wenn ich einem Menschen in die Augen sehe, bin ich unfähig, ihm etwas zu befehlen.

DER VATER: Warum?

WERNER: Weil ich das Gefühl habe, daß er genau so viel wert ist wie ich.

DER VATER: Dann sieh über die Augen. *Sich an die Stirn fassend.* Dahin zum Beispiel: da sind nur Knochen.

WERNER: Dazu muß man deinen Hochmut haben.

DER VATER: Und du hast ihn nicht?

WERNER: Woher sollte ich ihn haben? Um Franz nach deinem Vorbild zu formen, hast du keine Mühe gescheut. Ist es meine Schuld, wenn du mir nur passiven Gehorsam beigebracht hast?

DER VATER: Das ist das gleiche.

WERNER: Wie? Was ist das gleiche?

DER VATER: Gehorchen und Befehlen: in beiden Fällen gibst du Befehle weiter, die du bekommen hast.

WERNER: Bekommst du auch welche?

DER VATER: Es ist noch gar nicht so lange her, daß ich keine mehr bekomme.

WERNER: Und wer hat sie dir erteilt?

DER VATER: Ich weiß nicht. Ich selbst, vielleicht. *Lächelnd.* Ich gebe dir hier das Rezept: wenn du befehlen willst, halte dich für jemand anders.

WERNER: Ich halte mich für niemand.

DER VATER: Warte, bis ich sterbe: nach einer Woche wirst du dich für mich halten.

WERNER: Entscheidungen treffen! Entscheidungen treffen! Die ganze Verantwortung tragen! Allein! Im Namen von Zehntausenden von Menschen. Und du hast so leben können!

DER VATER: Ich treffe schon lange keine Entscheidungen mehr. Ich unterschreibe die Post. Nächstes Jahr wirst du sie unterschreiben.

WERNER: Weiter machst du nichts?

DER VATER: Nein – seit fast zehn Jahren.

WERNER: Und dazu braucht man dich? Könnte das nicht jeder andere auch machen?

DER VATER: Jeder andere.

WERNER: Ich – zum Beispiel.

DER VATER: Zum Beispiel.

WERNER: Nicht alles ist vollkommen: Es gibt so viele Räderwerke. Wenn nur eins von ihnen anfinge zu knirschen ...

DER VATER: Dafür ist Gelber da. Ein bemerkenswerter Mensch, weißt du. Und er ist seit fünfundzwanzig Jahren bei uns.

WERNER: Mit einem Wort – ich habe Glück. Er wird also bestimmen.

DER VATER: Gelber? Du bist verrückt! Er ist dein Angestellter: Du bezahlst ihn dafür, daß er dir sagt, welche Anordnungen du zu treffen hast.

WERNER *nach einer Weile:* Ach! Vater, nicht ein einziges Mal in deinem Leben hast du mir wirklich vertraut. Du schiebst mich an die Spitze eines Unternehmens, weil ich dein einziger männlicher Nachkomme bin, aber du bist vorsichtig genug gewesen, mich vorher in einen Blumentopf zu verwandeln.

DER VATER *traurig lachend:* In einen Blumentopf! Und ich? Was bin ich? Ein Hut auf der Stange. *Mit trauriger und sanfter Miene, fast senil.* Das größte Unternehmen Europas ... Eine ganze Organisation, nicht wahr, eine ganze Organisation ...

WERNER: Genau. Wenn ich Langeweile habe, werde ich mir meine Plädoyers mal wieder durchlesen. Und wir werden reisen.

DER VATER: Nein.

WERNER *erstaunt:* Ich kann das ganz diskret machen.

DER VATER *gebieterisch und hochfahrend:* Kommt nicht in Frage. *Er sieht Werner und Leni an.* Jetzt hört zu. Das Erbe bleibt ungeteilt. Ich verbiete euch in aller Form, eure Anteile an irgend jemanden zu verkaufen oder dieses Haus zu verkaufen oder zu vermieten. Ich verbiete euch aber auch auszuziehen. Ihr werdet hier bis zu eurem Tode leben. Schwört das! *Zu Leni.* Mach du den Anfang!

LENI *lächelnd:* Ich erinnere dich bescheiden daran, daß Eide mich nicht binden.

DER VATER *ebenfalls lächelnd:* Los, los, Leni! Ich verlasse mich auf dich. Gib deinem Bruder ein gutes Beispiel.

LENI *geht auf die Bibel zu und nimmt sie in die Hand:* Ich ... *Sie versucht, einen Lachkrampf zu unterdrücken.* Oh! Es tut mir leid. Du wirst entschuldigen, Vater, aber ich habe einen Lachkrampf. *An Johanna gewandt.* Wie jedesmal.

DER VATER *gutmütig:* Lach du ruhig, mein Kind. Ich verlange nur, daß du schwörst.

LENI *lachend:* Ich schwöre auf die Heilige Bibel, daß ich deinen letzten Willen erfüllen werde. *Der Vater betrachtet sie lachend. Zu Werner.* Nun bist du dran – Familienoberhaupt.

Werner macht einen abwesenden Eindruck.
Nun, Werner?
Werner richtet sich plötzlich auf und sieht seinen Vater mit gequälter Miene an.

LENI *ernst:* Erlöse uns davon, Bruder. Schwöre – dann hat die liebe Seele Ruhe.
Werner geht auf die Bibel zu.

JOHANNA *höflich und ruhig:* Einen Augenblick, bitte.
Der Vater betrachtet sie und heuchelt Erstaunen, um sie einzuschüchtern; sie erwidert seinen Blick ungerührt.
Lenis Eid war eine Farce: alles hat gelacht. Aber wenn Werner drankommt, lacht niemand mehr. Warum?

LENI: Weil dein Mann alles ernst nimmt.

JOHANNA: Ein Grund mehr zu lachen. *Pause.* Du hast ihn belauert, Leni.

DER VATER *mit Autorität:* Aber Johanna . . .

JOHANNA: Du auch, Vater, du belauerst ihn auch.

LENI: Aber du belauerst mich auch.

JOHANNA: Vater, ich möchte, daß wir offen und ehrlich miteinander reden.

DER VATER *belustigt:* Du und ich?

JOHANNA: Ja – du und ich. *Der Vater lächelt. Johanna ergreift die Bibel und trägt sie mühsam zu einem Möbelstück im Hintergrund.* Zuerst wollen wir noch einmal darüber reden; dann schwöre, wer will.

LENI: Werner! Überläßt du es deiner Frau, dich zu verteidigen?

WERNER: Greift man mich denn an?

JOHANNA *zum Vater:* Ich möchte gern wissen, mit welchem Recht du über mein Leben verfügst!

DER VATER *auf Werner zeigend:* Über sein Leben verfüge ich, weil es mir gehört, über deines habe ich keine Gewalt.

JOHANNA *lächelnd:* Glaubst du, wir haben zwei Leben? Du warst doch verheiratet. Hast du ihre Mutter geliebt?

DER VATER: Wie es sich gehört.

JOHANNA *lächelnd:* Das sehe ich. Sie ist daran gestorben. Wir aber, Vater, wir lieben uns mehr, als es sich gehört. Über alles, was uns betraf, entschieden wir gemeinsam. *Pause.* Wenn er unter Zwang schwört, wenn er sich in dies Haus einschließt, um seinem Eid treu zu bleiben, dann hat er sich ohne mich und gegen mich entschieden; du trennst uns damit für immer.

DER VATER *mit einem Lächeln:* Unser Haus gefällt dir nicht?

JOHANNA: Überhaupt nicht.

Schweigen.

Der Vater: Worüber beklagst du dich denn, liebe Schwiegertochter?

Johanna: Ich habe einen Rechtsanwalt aus Hamburg geheiratet, der nichts als sein Talent besaß. Drei Jahre später finde ich mich in der Einsamkeit dieser Festung wieder – verheiratet mit einem Schiffsbauer.

Der Vater: Ist das so furchtbar?

Johanna: Für mich ja. Ich habe Werner wegen seiner Unabhängigkeit geliebt, und du weißt am besten, daß er sie verloren hat.

Der Vater: Wer hat sie ihm denn genommen?

Johanna: Du.

Der Vater: Vor 18 Monaten habt ihr gemeinsam den Beschluß gefaßt, euch hier einzurichten.

Johanna: Du hattest uns darum gebeten.

Der Vater: Nun gut. Wenn es hier überhaupt eine Schuld gibt, so bist du mitschuldig.

Johanna: Ich wollte ihn nicht zwingen, zwischen dir und mir zu wählen.

Der Vater: Das war ein Fehler von dir.

Leni *liebenswürdig:* Er hätte sich für dich entschieden.

Johanna: Eins zu zwei, daß er es getan hätte. Eins zu eins aber, daß er seine Wahl bereut hätte.

Der Vater: Warum?

Johanna: Weil er dich liebt. *Der Vater zuckt verdrießlich die Achseln.* Weißt du, was eine hoffnungslose Liebe ist?

Der Gesichtsausdruck des Vaters verändert sich. Leni bemerkt es.

Leni *lebhaft:* Und du, Johanna, weißt du es?

Johanna *kalt:* Nein. *Pause.* Aber Werner weiß es.

Werner hat sich erhoben; er geht zur Glastür.

Der Vater *zu Werner:* Wohin gehst du?

Werner: Ich ziehe mich zurück, dann werdet ihr ungenierter sein.

Johanna: Werner! Ich kämpfe für uns.

Werner: Für uns? *Sehr kurz.* Bei den Gerlachs haben die Frauen zu schweigen. *Er will das Zimmer verlassen.*

Der Vater *gütig, aber gebieterisch:* Werner!

Werner bleibt stehen.

Komm zurück und setz dich!

Werner geht langsam auf seinen Platz zurück und setzt sich so, daß er den anderen den Rücken zuwendet. Er vergräbt den Kopf in die Hände, um zu zeigen, daß er es ablehnt, sich an der Unterhaltung zu beteiligen.

Zu Johanna. Gut! Nun, meine liebe Schwiegertochter?

JOHANNA *unruhig auf Werner blickend:* Verschieben wir diese Unterhaltung! Ich bin sehr müde.

DER VATER: Nein, mein Kind. Du hast sie begonnen; jetzt müssen wir sie zu Ende führen. *Kurze Pause. Johanna sieht Werner fassungslos schweigend an.* Soll das heißen, daß ihr euch weigert, nach meinem Tode hier wohnen zu bleiben?

JOHANNA *fast flehend:* Werner! *Werner schweigt, sie ändert plötzlich ihre Haltung.* Ja, Vater. Das wollte ich sagen.

DER VATER: Wo werdet ihr wohnen?

JOHANNA: In unserer alten Wohnung.

DER VATER: Ihr wollt nach Hamburg zurückgehen?

JOHANNA: Wir werden dorthin zurückgehen.

LENI: Wenn Werner will.

JOHANNA: Er wird es wollen.

DER VATER: Und das Unternehmen? Nimmst du wenigstens meinen Vorschlag an, daß er Chef wird?

JOHANNA: Ja, wenn du es unbedingt willst und wenn es Werner Spaß macht, den Strohmann zu spielen.

DER VATER *als ob er überlege:* In Hamburg wohnen . . .

JOHANNA *Hoffnung schöpfend:* Das ist das einzige, worum wir dich bitten. Willst du uns nicht wenigstens diese einzige Konzession machen?

DER VATER *liebenswürdig, aber endgültig:* Nein. *Pause.* Mein Sohn wird hier bleiben, um hier zu leben und hier zu sterben, wie ich das tue und wie mein Vater und mein Großvater es getan haben.

JOHANNA: Warum?

DER VATER: Warum nicht?

JOHANNA: Verlangt das Haus nach Bewohnern?

DER VATER: Ja.

JOHANNA *kurz und heftig:* Dann soll es einstürzen!

Leni bricht in ein Lachen aus.

LENI *verbindlich:* Soll ich es anzünden? Das war ein Traum meiner Kindheit.

DER VATER *blickt belustigt um sich:* Armes Haus! Ist es so viel Haß wert? . . . Empfindet Werner diesen Abscheu auch?

JOHANNA: Werner und ich. Wie häßlich es ist!

LENI: Das wissen wir selbst.

JOHANNA: Wir sind zu viert: am Jahresende werden wir zu dritt sein. Haben wir zweiunddreißig vollgestopfte Zimmer nötig? Wenn Werner auf der Werft ist, hab ich Angst.

DER VATER: Und darum willst du uns verlassen? Das sind keine stichhaltigen Gründe.
JOHANNA: Nein.
DER VATER: Du hast noch andere.
JOHANNA: Ja.
DER VATER: Laß hören.
WERNER *mit einem Aufschrei:* Johanna, ich verbiete dir ...
JOHANNA: Nun gut – dann sprich selbst!
WERNER: Wozu das alles? Du weißt genau, daß ich ihm gehorchen werde.
JOHANNA: Warum?
WERNER: Weil er mein Vater ist. Ach! Machen wir Schluß damit! *Er erhebt sich.*
JOHANNA *sich vor ihn stellend:* Nein, Werner, nein!
DER VATER: Er hat recht, liebe Schwiegertochter. Machen wir Schluß. Eine Familie ist ein Haus. Daher bitte ich ganz besonders dich, die du in unsere Familie eingeheiratet hast, in diesem Hause wohnen zu bleiben.
JOHANNA *lacht:* Die Familie hat einen breiten Rücken: nicht ihr opferst du uns.
DER VATER: Wem sonst?
WERNER: Johanna!
JOHANNA: Deinem ältesten Sohn.
Langes Schweigen.
LENI *ruhig:* Franz ist vor fast vier Jahren in Argentinien gestorben. *Johanna lacht ihr ins Gesicht.* Wir haben seinen Totenschein im Jahre 1956 bekommen: Geh doch aufs Rathaus, dort wird man ihn dir zeigen.
JOHANNA: Tot? Ich wünschte, er wäre es. Wie soll man das Leben nennen, das er führt. Tot oder lebendig – sicher ist, daß er hier wohnt.
LENI: Nein.
JOHANNA *auf die Tür der ersten Etage zeigend:* Da oben. Hinter dieser Tür.
LENI: Was für ein Unsinn! Wer hat dir das erzählt!
Kurze Pause. Werner erhebt sich ruhig. Seit von seinem Bruder die Rede ist, leuchten seine Augen, und er gewinnt seine Sicherheit zurück.
WERNER: Wer soll es denn schon gewesen sein? Ich.
LENI: Womöglich im Bett?
JOHANNA: Warum nicht?
LENI: Pfui!

WERNER: Sie ist meine Frau. Sie hat das Recht zu wissen, was ich weiß.

LENI: Das Recht der Liebe? Wie abgeschmackt du bist! Ich würde meine Seele geben und meine Haut zu Markte tragen für den Mann, den ich liebte, aber ich würde ihn mein ganzes Leben lang belügen, wenn es sein müßte.

WERNER *heftig:* Hört euch diese Blinde an, die von Farben spricht. Wen würdest du belügen? Papageien?

DER VATER *gebieterisch:* Schweigt jetzt – alle drei! *Er streichelt Lenis Haar zärtlich.* Der Schädel ist hart, aber das Haar ist weich. *Sie macht sich gewaltsam los, er bleibt auf der Lauer.* Seit dreizehn Jahren lebt Franz dort oben; er verläßt sein Zimmer nicht, und niemand sieht ihn – außer Leni, die sich um ihn kümmert.

WERNER: Und außer dir.

DER VATER: Außer mir? Wer hat dir das gesagt? Etwa Leni? Und du hast es geglaubt? Wie gut ihr euch versteht, ihr beiden, wenn es darum geht, mir weh zu tun. *Pause.* Ich habe ihn seit dreizehn Jahren nicht mehr gesehen.

WERNER *erstaunt:* Aber warum?

DER VATER *ganz natürlich:* Weil er mich nicht sehen will.

WERNER *nicht wissend, woran er ist:* Ah so! *Pause.* So!
Er geht an seinen Platz zurück.

DER VATER *zu Johanna:* Ich danke dir, mein Kind. In unserer Familie, siehst du, haben wir kein Vorurteil gegen die Wahrheit. Aber, wenn irgend möglich, richten wir es so ein, daß sie von einem Fremden gesagt wird. *Pause.* Also – Franz lebt dort oben, krank und allein. Was ändert das?

JOHANNA: So gut wie alles. *Pause.* Sei ganz beruhigt, Vater: eine angeheiratete Verwandte – eine Fremde wird an deiner Stelle die Wahrheit sagen. Hier also, was ich weiß: 1946 gab es einen Skandal – ich weiß nicht, worum es ging – denn Werner war noch als Kriegsgefangener in Frankreich. Es sah so aus, als ob es zur Anklage kommen würde. Franz verschwand, nach Argentinien, wie du sagst; in Wirklichkeit hält er sich hier versteckt. 1956 macht Gelber eine Blitzreise nach Südamerika und bringt von dort einen Totenschein mit. Einige Zeit später gibst du Werner den Befehl, auf seine Karriere zu verzichten, und setzt ihn hier als künftigen Erben ein. So war es doch wohl?

DER VATER: Ja. Fahre fort!

JOHANNA: Ich habe nichts mehr zu sagen. Wer Franz war, was er getan hat, was aus ihm geworden ist – das weiß ich nicht. Eins weiß ich mit Sicherheit, daß, falls wir hier bleiben, wir ihm als Sklaven dienen.

LENI *heftig:* Das ist nicht wahr! Ich genüge ihm.

JOHANNA: Das glaube ich nicht.

LENI: Er will nur mich sehen!

JOHANNA: Mag sein, aber Vater beschützt ihn aus der Ferne, und später sollen wir ihn dann beschützen. Oder bewachen. Vielleicht werden wir seine Sklaven und Kerkermeister zugleich sein.

LENI *außer sich:* Bin ich etwa seine Kerkermeisterin?

JOHANNA: Wie soll ich das wissen? Wenn ihr – ihr beide – ihn nun eingeschlossen hättet?

Kurzes Schweigen. Leni zieht einen Schlüssel aus der Tasche.

LENI: Geh hinauf und klopfe. Wenn er nicht aufmacht: hier ist der Schlüssel.

JOHANNA *den Schlüssel nehmend:* Danke. *Sie sieht Werner an.* Was soll ich tun, Werner?

WERNER: Tu, was du willst. So oder so, du wirst sehen, daß es ein plumper Trick ist . . .

Johanna zögert. Dann geht sie langsam die Treppe hinauf. Sie klopft an die Tür. Einmal, zweimal. Eine Art nervöser Wut packt sie: ein Hagel von Schlägen prasselt gegen die Tür. Dann wendet sie sich dem Saal zu und schickt sich an, wieder herunterzukommen.

LENI *ruhig:* Du hast doch den Schlüssel.

Kurze Pause. Johanna ist unschlüssig, sie fürchtet sich. Werner ist ängstlich und aufgeregt. Johanna beherrscht sich, steckt den Schlüssel ins Schloß und versucht vergeblich, die Tür zu öffnen, obwohl sich der Schlüssel dreht.

LENI: Nun?

JOHANNA: Innen ist ein Riegel. Jemand muß ihn vorgeschoben haben. *Sie kommt wieder herunter.*

LENI: Wer soll ihn denn vorgeschoben haben? Ich?

JOHANNA: Vielleicht gibt es noch eine andere Tür.

LENI: Du weißt sehr gut, daß es keine gibt. Dieser Pavillon steht ganz isoliert. Wenn jemand den Riegel vorgeschoben hat, kann es nur Franz gewesen sein. *Johanna ist am Fuß der Treppe angekommen.* Nun? Schließen wir ihn ein, den Armen?

JOHANNA: Es gibt viele Methoden, einen Menschen einzuschließen. Die beste ist, es so einzurichten, daß er sich selbst einschließt.

LENI: Und wie macht man das?

JOHANNA: Man belügt ihn. *Sie sieht Leni an, die ganz aus der Fassung gebracht zu sein scheint.*

DER VATER *lebhaft zu Werner:* Hast du einen solchen Fall schon mal vor Gericht verhandelt?

WERNER: Was für einen Fall?

DER VATER: Freiheitsberaubung.

WERNER *mit erstickter Stimme:* Einmal.

DER VATER: Gut. Nimm einmal an, man hält hier eine Haussuchung ab. Dann wird sich die Staatsanwaltschaft doch der Sache annehmen, nicht wahr?

WERNER *in die Falle gegangen:* Warum sollte man eine Haussuchung vornehmen? Wo man es dreizehn Jahre lang nicht getan hat.

DER VATER: Bisher war ich da.

Kurzes Schweigen.

LENI *zu Johanna:* Und dann, ich fahr' zu schnell, hast du mir gesagt. Ich könnte gegen einen Baum rasen. Was soll dann aus Franz werden?

JOHANNA: Wenn er bei Verstand ist, wird er die Dienstboten rufen.

LENI: Er ist bei Verstand, aber er wird sie nicht rufen. *Pause.* Man wird den Tod meines Bruders am Geruch wahrnehmen! *Pause.* Man wird die Tür aufbrechen und ihn auf dem Boden finden – inmitten seiner Muscheln.

JOHANNA: Was für Muscheln?

LENI: Er liebt Austern.

DER VATER *zu Johanna, freundschaftlich:* Hör auf das, was Leni sagt, liebe Schwiegertochter. Wenn er stirbt, ist das der Skandal des Jahrhunderts. *Sie schweigt.* Der Skandal des Jahrhunderts, Johanna . . .

JOHANNA *hart:* Das kann dir doch gleich sein. Du bist doch dann unter der Erde.

DER VATER *lächelnd:* Ich schon. Ihr aber nicht. Sprechen wir einmal von dieser Affäre von 1946. Gibt es eine Verjährung? Antworte mir! Das ist doch dein Fach.

WERNER: Ich kenne das Delikt nicht.

DER VATER: Im günstigsten Fall: Körperverletzung. Im ungünstigsten: Mordversuch.

WERNER *mit zugeschnürter Kehle:* Da gibt es keine Verjährung.

DER VATER: Also, jetzt weißt du, was uns erwartet: Mitwisserschaft bei einem Mordversuch, Urkundenfälschung und Gebrauch der falschen Urkunde, Verbergen des Täters.

WERNER: Eine Urkundenfälschung? Was für eine Urkundenfälschung?

DER VATER *lachend:* Na – der Totenschein! Er hat mich ziemlich viel Geld gekostet. *Pause.* Nun, was sagen Sie dazu, Herr Rechtsanwalt? Das kommt doch vors Schwurgericht?

Werner schweigt.

JOHANNA: Werner, jetzt wissen wir, was gespielt wird. An uns ist es nun, zu wählen: ob wir die Dienstboten des Verrückten da sein wollen, den sie dir vorziehen, oder ob wir uns auf die Anklagebank setzen wollen. Was wählst du? Meine Wahl ist getroffen: das Schwurgericht. Mir ist eine begrenzte Gefängnisstrafe lieber als ein lebenslänglicher Kerker. *Pause.* Nun?

Werner schweigt. Johanna macht eine Geste der Entmutigung.

DER VATER *mit Wärme:* Liebe Kinder, ich falle aus allen Wolken. Eine erpresserische Drohung! Überall Fallen! Alles klingt falsch. Alles wird übertrieben. Mein Sohn, ich bitte dich nur um ein bißchen Mitleid mit deinem Bruder. Es gibt Umstände, mit denen Leni allein nicht fertig werden kann. Im übrigen aber werdet ihr frei sein wie die Luft. Ihr werdet sehen: es wird noch alles gut werden. Franz wird nicht mehr sehr lange leben, fürchte ich: eines Nachts werdet ihr ihn im Park verscharren, und mit ihm wird der letzte echte Gerlach verschwinden ... *Werner macht eine Gebärde.* ... ich würde sagen: das letzte Ungeheuer. Ihr beiden, ihr seid gesund und normal. Ihr werdet normale Kinder haben, die wohnen können, wo sie wollen. Bleib, Johanna, Werners Söhnen zuliebe. Sie werden einmal die Erben des Unternehmens sein: das ist eine märchenhafte Machtposition, und du hast nicht das Recht, sie ihnen vorzuenthalten.

WERNER *aufspringend, mit harten und leuchtenden Augen:* Wie? *Alle Blicke sind auf ihn gerichtet.* Hast du gesagt: Werners Söhnen zuliebe? *Der Vater macht erstaunt ein Zeichen der Bestätigung. Triumphierend:* Da hast du es, Johanna, da hast du den Trick. Werner und seine Kinder, Vater, die scheren dich den Teufel. Die scheren dich den Teufel! Die scheren dich den Teufel! *Johanna nähert sich ihm. Pause.* Selbst wenn du lange genug lebst, um meinen ersten Sohn zu sehen, so würde er dich anwidern, denn er wäre Fleisch von meinem Fleische, so wie ich dich auch angewidert habe in meinem Fleische seit dem Tage meiner Geburt. *Zu Johanna.* Armer Vater! Was für ein Wirrwarr! Die Kinder von Franz – die hätte er geliebt.

JOHANNA *gebieterisch:* Hör auf! Du hörst dich gern reden. Wenn du anfängst, dich zu bemitleiden, sind wir verloren.

WERNER: Im Gegenteil: ich mache mich frei. Was willst du eigentlich von mir? Soll ich sie zum Henker schicken?

JOHANNA: Ja.

WERNER *lachend:* Das lasse ich mir gefallen.

JOHANNA: Sag ihm: Nein. Ohne Geschrei, ohne zu lachen. Ganz einfach: Nein.

Werner wendet sich an seinen Vater und Leni, die ihn schweigend ansehen.

WERNER: Er sieht mich an.

JOHANNA: Na und? *Werner zuckt mit den Achseln und will sich wieder setzen. Mit tiefem Überdruß.* Werner! *Er sieht sie nicht mehr an.*

Langes Schweigen.

DER VATER *heimlich triumphierend:* Nun, liebe Schwiegertochter?

JOHANNA: Er hat nicht geschworen.

DER VATER: Er wird es noch tun. Die Schwachen sind die Diener der Starken: das ist Naturgesetz.

JOHANNA *verletzt:* Wer ist deiner Meinung nach stark? Der Halbverrückte da oben, der wehrloser als ein Säugling ist, oder mein Mann, den du im Stich gelassen hast und der sich allein aus der Affäre gezogen hat.

DER VATER: Werner ist schwach, Franz stark: daran kann niemand etwas ändern.

JOHANNA: Und was tun sie auf Erden – die Starken?

DER VATER: Im allgemeinen nichts.

JOHANNA: Das sehe ich.

DER VATER: Es sind die Leute, die von Natur aus mit dem Tod vertraut sind. Sie halten das Schicksal der anderen in ihren Händen.

JOHANNA: Und Franz ist so einer?

DER VATER: Ja.

JOHANNA: Wie willst du das wissen – nach dreizehn Jahren?

DER VATER: Uns vieren hier wird er sogar zum Schicksal, ohne daran zu denken.

JOHANNA: Woran denkt er denn?

LENI *ironisch und brutal, aber aufrichtig:* An seine Krabben.

JOHANNA *ironisch:* Den ganzen Tag?

LENI: Das ist sehr aufreibend.

JOHANNA: Was für alte Kamellen! Sie sind so alt wie eure Möbel. Daran glaubt ihr ja selbst nicht.

DER VATER *lächelnd:* Ich habe nur noch sechs Monate zu leben, liebe Schwiegertochter: das ist zu kurz, um an irgend etwas zu glauben. *Pause.* Aber Werner – der glaubt daran.

WERNER: Da irrst du dich, Vater. Es war deine Idee, nicht meine, und du hast sie mir eingegeben. Aber dann bist du im Laufe der Zeit von ihr abgekommen, und du bist keineswegs unglücklich darüber, daß auch ich mich von ihr befreit habe. Ich bin ein Mensch wie jeder andere. Nicht stark, nicht schwach, irgendeiner.

Ich versuche zu leben. Und Franz – ich weiß nicht, ob ich ihn noch wiedererkennen würde, aber ich bin sicher, er ist auch nur ein Durchschnittsmensch. *Er zeigt Johanna die Photos von Franz.* Nun – was hat er mir voraus? *Er betrachtet ihn fasziniert.* Er ist nicht einmal schön!

LENI *ironisch:* Nein! Nicht einmal das.

WERNER *noch immer fasziniert, aber mit wachsender Unsicherheit:* Und wenn ich nun geboren bin, um ihn zu bedienen? Es kommt sicher vor, daß sich Sklaven gegen ihr Schicksal empören. Mir aber wird mein Bruder nicht zum Schicksal werden.

LENI: Du ziehst also vor, daß deine Frau dein Schicksal wird.

JOHANNA: Du rechnest mich zu den Starken?

LENI: Ja.

JOHANNA: Was für ein seltsamer Zufall! Und warum?

LENI: Du bist doch Schauspielerin gewesen, nicht wahr? Sogar ein Star?

JOHANNA: Schon. Und dann habe ich meinen Beruf aufgegeben. Na und?

LENI: Dann hast du Werner geheiratet, und seitdem tust du nichts und denkst an den Tod.

JOHANNA: Wenn du Werner demütigen willst, dann kannst du dir die Mühe ersparen. Als wir uns kennenlernten, habe ich dem Theater für immer valet gesagt. Ich war total verrückt. Er kann stolz darauf sein, daß er mich davor gerettet hat.

LENI: Ich sage dir, er ist es nicht.

JOHANNA *zu Werner:* Jetzt hast du das Wort.

Pause. Werner antwortet nicht.

LENI: Wie du ihn in Verlegenheit bringst, den Armen! *Pause.* Johanna, hättest du ihn auch ohne deinen Mißerfolg geheiratet? Es gibt Ehen, die sind Beerdigungen.

Johanna will antworten, aber der Vater kommt ihr zuvor.

DER VATER: Aber Leni! *Er streichelt ihr zärtlich den Kopf, aber sie entzieht sich ihm ärgerlich.* Du ereiferst dich, Leni! Wenn ich eitel wäre, würde ich glauben, daß es mein Tod ist, der dich so erbittert.

LENI *lebhaft:* So ist es auch, Vater. Du siehst ja, sie wird alles nur komplizieren.

DER VATER *lachend zu Johanna:* Sei Leni deswegen nicht böse, mein Kind. Sie will sagen, daß wir – das heißt du, Franz und ich – aus dem gleichen Holz geschnitzt sind. *Pause.* Du gefällst mir, Johanna. Manchmal schien es mir so, als ob du mich beweinen wirst. Du wirst bestimmt die einzige sein. *Er lächelt ihr zu.*

JOHANNA *plötzlich:* Wenn du die Sorgen der Lebenden noch teilst und wenn ich das Glück habe, dir zu gefallen, wie kannst du meinen Mann dann vor mir so demütigen? *Der Vater schüttelt den Kopf, ohne zu antworten.* Stehst du noch im Leben oder nicht?

DER VATER: Ja oder nein – das ist dasselbe, wenn man nur noch sechs Monate zu leben hat. *Er blickt ins Leere und spricht vor sich hin.* Das Unternehmen wird weiter wachsen, die privaten Investitionen werden nicht mehr ausreichen, der Staat wird seine Nase hineinstecken. Franz wird da oben bleiben – zehn Jahre, zwanzig Jahre lang. Er wird furchtbar leiden ...

LENI *sehr betont:* Er leidet nicht.

DER VATER *ohne auf sie zu hören:* Vorläufig ist mein Tod einfach mein Leben, das fortdauert, ohne daß ich da bin. *Pause. Er sitzt zusammengesackt und mit starrem Blick da.* Er wird graue Haare haben ... und die häßliche Fettleibigkeit der Gefangenen ...

LENI *heftig:* Hör doch auf damit!

DER VATER *ohne auf sie zu hören:* Es ist unerträglich. *Es sieht aus, als ob er leidet.*

WERNER *langsam:* Wirst du weniger unglücklich sein, wenn du weißt, daß wir hier wohnen bleiben?

JOHANNA *rasch:* Nimm dich in acht!

WERNER: Wovor? Er ist mein Vater, und ich will nicht, daß er leidet.

JOHANNA: Er leidet für den anderen da oben.

WERNER: Um so schlimmer. *Er nimmt die Bibel und bringt sie zu dem Tisch zurück, auf den Leni sie gelegt hatte.*

JOHANNA *wie eben:* Er spielt dir eine Komödie vor.

WERNER *ärgerlich, in einem Ton voller Einverständnis:* Und du? Du spielst mir keine Komödie vor? *Zum Vater:* Beantworte bitte meine Frage ... Wirst du weniger unglücklich sein ...

DER VATER: Ich weiß nicht ...

WERNER *zum Vater:* Also – wir werden schon sehen ...

Pause. Weder der Vater noch Leni bewegen sich. Sie warten gespannt ab.

JOHANNA: Eine Frage bitte. Eine einzige Frage – dann kannst du machen, was du willst.

Werner betrachtet sie mit finsterer und entschlossener Miene.

DER VATER: Warte bitte einen Augenblick, Werner. *Werner entfernt sich von der Bibel mit einem Murren, das man für Einwilligung halten kann.* Welche Frage hast du also, meine Liebe?

JOHANNA: Warum hat sich Franz eingeschlossen?

DER VATER: Das ist eine Frage, die viele andere einschließt.

JOHANNA: Erzähl mir bitte, was passiert ist.
DER VATER *mit leichter Ironie:* Nun gut. Es gab Krieg ...
JOHANNA: Den gab's für alle. Müssen sich die anderen darum auch verstecken?
DER VATER: Die anderen, die sich versteckt haben, siehst du nur nicht.
JOHANNA: Er war also im Felde.
DER VATER: Bis Kriegsende.
JOHANNA: An welcher Front?
DER VATER: In Rußland.
JOHANNA: Und wann ist er heimgekehrt?
DER VATER: Im Herbst 46.
JOHANNA: Warum erst so spät?
DER VATER: Sein Regiment ist aufgerieben worden. Franz ist zu Fuß zurückgekommen – durch Polen und das besetzte Deutschland. Und dabei hat er sich ständig verstecken müssen. Eines Tages hat er geläutet. *Fernes und undeutliches Läuten.* Er stand vor der Tür.

Franz erscheint im Hintergrund hinter seinem Vater in einem Halbschatten. Er ist in Zivil und sieht jung aus: etwa 23 bis 24 Jahre alt. Johanna, Werner und Leni sehen in dieser Rückblende und in den folgenden die beschworene Person nicht. Allein die, die sie beschwören – der Vater in den beiden ersten Erinnerungsszenen, Leni und der Vater in der dritten –, wenden sich an die beschworenen Personen, wenn sie mit ihnen sprechen. Die Personen, die an einer der Erinnerungsszenen beteiligt sind, müssen in Ton und Spiel eine Art Entfernung, «Distanzierung» ausdrücken, die auch, wenn die handelnden Personen heftig werden, den Unterschied zwischen Vergangenheit und Gegenwart deutlich werden läßt. Im Augenblick wird Franz von niemandem gesehen, auch nicht vom Vater.

Franz trägt eine geöffnete Flasche Sekt in der rechten Hand, die man nur sieht, wenn er trinkt. Ein Sektglas, das in seiner Nähe auf einem kleinen Tisch steht, ist von Nippsachen verstellt. Er nimmt es, wenn er trinkt.

JOHANNA: Und dann hat er sich sofort eingeschlossen?
DER VATER: Ins Haus sofort. Ein Jahr später dann in sein Zimmer.
JOHANNA: Und während dieses Jahres – da habt ihr ihn alle Tage gesehen?
DER VATER: So ungefähr.
JOHANNA: Was hat er denn gemacht?
DER VATER: Er hat getrunken.

JOHANNA: Und was hat er gesagt?

FRANZ *mit entfernter und mechanischer Stimme:* Guten Tag. Guten Abend. Ja. Nein.

JOHANNA: Weiter nichts?

DER VATER: Nein – außer eines Tages eine Flut von Worten. Ich habe nichts davon begriffen. *Bitter lachend.* Ich war gerade in der Bibliothek und hörte Radio. *Knistern aus einem Radio. Wiederholtes Pausenzeichen. Alle Geräusche erscheinen gedämpft.*

STIMME DES SPRECHERS: Verehrte Hörer! Wir bringen Nachrichten. In Nürnberg hat der Internationale Gerichtshof den Reichsmarschall Göring ... *Franz stellt das Radio ab. Auch, wenn er seinen Platz wechselt, bleibt er im Halbschatten.*

DER VATER *der wieder erschrocken auffährt:* Was machst du da? *Franz betrachtet ihn mit erstorbenem Blick.* Ich will das Urteil hören.

FRANZ *während der ganzen Szene mit zynischer und finsterer Stimme:* Zum Tode durch den Strang verurteilt. *Er trinkt.*

DER VATER: Woher weißt du das? *Franz schweigt. Der Vater wendet sich an Johanna.* Du hast die Zeitungsberichte damals nicht verfolgt?

JOHANNA: Kaum. Ich war ja erst zwölf Jahre alt.

DER VATER: Sie waren alle in den Händen der Alliierten. «Wir sind Deutsche, also sind wir schuldig. Wir sind schuldig, denn wir sind Deutsche.» So konntest du es damals jeden Tag in jeder Zeitung lesen. Was für ein Wahnsinn. *Zu Franz.* Achtzig Millionen Kriegsverbrecher: Was für eine Gemeinheit. Im Höchstfall waren es drei Dutzend. Daß man sie aufhängt und uns rehabilitiert – das wird schließlich das Ende dieses Alptraumes sein. *Mit Autorität.* Sei so gut und stell das Radio wieder an. *Franz trinkt, ohne sich dabei zu bewegen. Trocken.* Du trinkst zuviel. *Franz sieht ihn mit einem so harten Blick an, daß der Vater verdutzt schweigt. Pause. Dann ergreift der Vater wieder in leidenschaftlichem Wunsch nach Verständnis das Wort.* Was gewinnt man schon damit, wenn man ein Volk zur Verzweiflung treibt? Ich zum Beispiel – womit habe ich mir die Verachtung der ganzen Welt verdient? Meine politische Einstellung ist dir ja bekannt. Oder du, Franz, der du bis Kriegsende im Felde warst? *Franz lacht vulgär.* Bist du Nazi gewesen?

FRANZ: Nein, zum Teufel!

DER VATER: Dann wähle: willst du lieber, daß die wirklichen Schuldigen verurteilt werden oder daß ihre Fehler auf alle Deutschen zurückfallen?

FRANZ *der, ohne sich zu bewegen, in ein heftiges und trockenes Lachen ausbricht:* Haha! *Pause.* Das kommt doch aufs selbe raus.

DER VATER: Bist du verrückt?

FRANZ: Man kann ein Volk auf zwei Arten moralisch vernichten: indem man es kollektiv für schuldig erklärt oder indem man es zwingt, die Führer, die es sich selbst gegeben hat, zu verleugnen. Die zweite Art ist die schlimmere.

DER VATER: Ich verleugne niemand, und die Nazis sind nicht meine Führer gewesen; ich habe sie dulden müssen.

FRANZ: Du hast sie unterstützt.

DER VATER: Was zum Teufel sollte ich denn tun?

FRANZ: Nichts.

DER VATER: Was Göring anbelangt, so bin ich sein Opfer. Geh doch einmal durch unsere Werftanlagen. Zwölf Bombenangriffe, keine einzige Halle mehr intakt, das ist das Ergebnis seiner «Abwehr».

FRANZ *brutal:* Ich bin Göring. Wenn man ihn aufhängt, hängt man mich auf.

DER VATER: Früher hat dich Göring einmal angewidert!

FRANZ: Ich habe gehorcht.

DER VATER: Ja, deinen militärischen Vorgesetzten.

FRANZ: Und wem gehorchten sie? *Lachend.* Hitler – wir haben ihn gehaßt, andere haben ihn geliebt: wo ist da der Unterschied? Du hast ihm Kriegsschiffe geliefert – und ich Leichen. Sag mir bitte, was hätten wir noch mehr tun können, wenn wir ihn angebetet hätten?

DER VATER: Also sind wir alle schuldig?

FRANZ: Zum Donnerwetter, nein! – Im Gegenteil: niemand. Mit Ausnahme der Speichellecker, die das Urteil der Sieger noch begrüßen. Schöne Sieger das! Wir kennen sie ja zur Genüge: es sind die gleichen Leute wie 1918, mit den gleichen heuchlerischen Tugenden. Was haben sie seitdem aus uns gemacht? Was aus sich selbst? Sei still: es steht den Siegern zu, Geschichte zu machen. Sie haben sie gemacht und haben uns damit Hitler beschert.
Richter? Haben sie niemals geplündert, gemordet und vergewaltigt? Die Bombe auf Hiroshima – hat Göring sie geworfen? Wenn sie uns den Prozeß machen – wer soll ihnen dann den Prozeß machen? Sie sprechen bloß von unseren Verbrechen, um das zu rechtfertigen, was sie im stillen vorbereiten: die systematische Ausrottung des deutschen Volkes. *Er zerschlägt das Glas an der Tischkante.* Unseren Feinden gegenüber sind wir alle unschuldig. Alle: Du, ich, Göring und die anderen.

DER VATER *schreiend:* Franz!

Der Lichtkegel, in dem Franz steht, wird schwächer und verlöscht dann ganz.

DER VATER: Franz! *Kurze Pause. Er wendet sich langsam an Johanna und lacht leise.* Ich habe nichts davon begriffen. Und du?

JOHANNA: Auch nichts. Und?

DER VATER: Das ist alles.

JOHANNA: Man müßte sich vielleicht doch für eine der beiden Möglichkeiten entscheiden: alle schuldig oder alle unschuldig?

DER VATER: Er hat sich jedenfalls nicht entschieden.

JOHANNA *träumt einen Augenblick, dann:* Es ist ja auch sinnlos.

DER VATER: Vielleicht wenn ... Ich weiß nicht.

LENI *lebhaft:* Du gehst zu weit, Johanna! Was gingen meinen Bruder Göring und seine Luftwaffe an? Er war Infanterist. Für ihn gab es nur Schuldige und Unschuldige, aber es waren nicht die gleichen. *Zum Vater, der etwas sagen will.* Ich weiß: ich sehe es alle Tage. Die Unschuldigen waren zwanzig Jahre alt, sie waren Soldaten; die Schuldigen waren fünfzig, sie waren ihre Väter.

JOHANNA: Aha, ich verstehe.

DER VATER *er hat seine Gutmütigkeit, die bereits nachgelassen hatte, jetzt ganz verloren. Wenn er von Franz spricht, wird er leidenschaftlich:* Du verstehst gar nichts: sie lügt.

LENI: Vater! Du weißt doch ganz genau, daß Franz dich verabscheut.

DER VATER *mit Nachdruck, zu Johanna:* Franz hat mich mehr als irgend jemand geliebt.

LENI: Vor dem Kriege.

DER VATER: Vor und nach dem Kriege.

LENI: Warum sagst du dann: er h a t mich geliebt?

DER VATER *verdutzt:* Nun gut, Leni ... weil wir von der Vergangenheit sprachen.

LENI: Du brauchst dich nicht zu korrigieren. Du hast deine wahren Gedanken verraten. *Pause.* Mein Bruder hat sich mit achtzehn Jahren freiwillig gemeldet. Wenn Vater uns sagen würde, weshalb, dann würdest du unsere Familiengeschichte besser verstehen.

DER VATER: Sag es ihr doch selbst, Leni. Ich möchte dich nicht um dieses Vergnügen bringen.

WERNER *sich zur Ruhe zwingend:* Leni, ich warne dich: wenn du auch nur eine einzige Tatsache erwähnst, die Vater nicht zur Ehre gereicht, verlasse ich auf der Stelle das Zimmer.

LENI: So groß ist deine Angst, mir zu glauben?

WERNER: Ich lasse nicht zu, daß man meinen Vater in meiner Gegenwart beleidigt.

DER VATER *zu Werner:* Beruhige dich, Werner; ich werde es selbst sagen. Seit Kriegsbeginn gab der Staat uns Befehle. Die Flotte aber haben wir gebaut. Im Frühjahr 1941 teilte die Reichsregierung mir mit, daß sie von mir gewisse Terrains, für die wir keine Verwendung hatten, zu kaufen wünsche. Das Gelände hinter dem Hügel: du kennst es ja.

LENI: Die Reichsregierung – das hieß Himmler. Er suchte einen Platz für ein neues Konzentrationslager.

Lastendes Schweigen.

JOHANNA: Du wußtest das?

DER VATER *ruhig:* Ja.

JOHANNA: Und du hast angenommen.

DER VATER *im gleichen Ton:* Ja. *Pause.* Franz hat die Arbeiten entdeckt. Man berichtete mir, er sei am Stacheldraht entlanggeschlichen.

JOHANNA: Und dann?

DER VATER: Nichts. *Schweigen.* Er selbst hat die Sache wieder aufgerührt. An einem Tag im Juni 1941.

Der Vater wendet sich zu ihm und beobachtet ihn aufmerksam, setzt dabei aber die Unterhaltung mit Werner und Johanna fort.

Ich sah sofort, daß er einen Bock geschossen hatte. Schlimmer konnte es gar nicht kommen. Göring und Raeder waren gerade in Hamburg, um meine neuen Anlagen zu besichtigen.

FRANZ *mit jugendlicher, milder und liebevoller, aber unruhiger Stimme:* Vater, ich möchte dich sprechen.

DER VATER *sieht ihn an:* Du bist auf dem Gelände hinten gewesen?

FRANZ: Ja. *Voller Schrecken, plötzlich:* Vater – das sind keine Menschen mehr.

DER VATER: Die Bewachungsmannschaften?

FRANZ: Nein – die Häftlinge. Ich verachte mich deswegen, aber sie waren es, vor denen ich mich entsetzte: ihr Schmutz, ihr Ungeziefer, ihre Wunden. *Pause.* Sie sehen immer aus, als hätten sie Angst.

DER VATER: Sie sind das, was man aus ihnen gemacht hat.

FRANZ: Aus mir könnte man so etwas nicht machen.

DER VATER: Nein?

FRANZ: Ich würde durchhalten.

DER VATER: Und wer sagt dir, daß sie nicht durchhalten?

FRANZ: Ihre Augen.

DER VATER: Wenn du an ihrer Stelle wärst, hättest du die gleichen Augen.

FRANZ: Nein. *Mit wilder Gewißheit.* Nein.

Der Vater beobachtet ihn aufmerksam.

DER VATER: Sieh mich an. *Er hat ihm das Kinn in die Höhe gehoben und sieht ihm tief in die Augen.* Wie kommst du darauf?

FRANZ: Worauf?

DER VATER: Die Angst, eingesperrt zu werden.

FRANZ: Davor habe ich keine Angst.

DER VATER: Wünschst du es etwa?

FRANZ: Ich ... Nein.

DER VATER: Aha. *Pause.* Hätte ich dieses Gelände nicht verkaufen sollen?

FRANZ: Wenn du es verkauft hast, so doch nur, weil du nicht anders handeln konntest.

DER VATER: Ich hätte es gekonnt.

FRANZ *erstaunt:* Du hättest dich weigern können?

DER VATER: Gewiß. *Franz zeigt sich stark beeindruckt.* Was denn? Hast du kein Vertrauen mehr zu mir?

FRANZ *vertrauensvoll, sich beherrschend:* Ich weiß, du wirst es mir erklären.

DER VATER: Was gibt es da zu erklären? Irgendwo mußte Himmler seine Häftlinge schließlich unterbringen. Wenn ich mich geweigert hätte, ihm mein Gelände zur Verfügung zu stellen, hätte er es woanders gekauft.

FRANZ: Woanders?

DER VATER: Genau! Ob ein klein wenig mehr nach Westen oder nach Osten – die gleichen Häftlinge hätten unter den gleichen Kapos zu leiden gehabt – und ich hätte mir in der Reichsregierung Feinde gemacht.

FRANZ *bei seiner Meinung verharrend:* Trotzdem hättest du die Finger davon lassen sollen.

DER VATER: Und warum?

FRANZ: Weil es nicht zu dir paßt.

DER VATER: Und um dir die pharisäerhafte Freude zu machen, deine Hände in Unschuld waschen zu können, du kleiner Puritaner.

FRANZ: Vater, du erschreckst mich: du leidest nicht genug unter den Leiden der anderen.

DER VATER: Ich werde mir erlauben, unter ihnen zu leiden, sobald ich die Möglichkeit habe, die Menschen von ihnen zu befreien.

FRANZ: Diese Möglichkeit wirst du nie haben.

DER VATER: Dann werde ich eben nicht unter ihnen leiden: es wäre nur verlorene Zeit. Übrigens – leidest du denn unter ihnen? Na also! *Pause.* Auch du liebst deine Nächsten nicht, Franz, sonst hättest du es nicht über dich bringen können, diese Häftlinge zu verachten.

FRANZ *verletzt:* Ich verachte sie nicht.

DER VATER: Doch – du verachtest sie . . . weil sie schmutzig sind und weil sie Angst haben. *Er erhebt sich und geht zuerst auf und ab und dann auf Johanna zu. Zu dieser.* Er glaubt noch an die Menschenwürde.

JOHANNA: Hat er unrecht damit?

DER VATER: Darüber, meine Liebe, kann ich nicht urteilen. Alles, was ich dir sagen kann, ist, daß die Gerlachs Luthers Opfer sind: dieser Prophet hat uns so hochmütig gemacht. *Er kehrt langsam an seinen ersten Platz zurück und macht Johanna auf Franz aufmerksam, indem er mit der Hand auf ihn zeigt.* Wenn Franz auf den Hügeln spazierenging, sprach er immer mit sich selbst, und wenn sein Gewissen zu einer Sache einmal «Ja» gesagt hatte, dann hättet ihr ihn eher in Stücke schneiden als von seiner Meinung abbringen können. In seinem Alter war ich genauso.

JOHANNA *ironisch:* Hattest du denn ein Gewissen?

DER VATER: Ja. Ich habe es aus Bescheidenheit aufgegeben. Es ist ein Luxus für Prinzen. Franz könnte ihn sich erlauben: wenn man nichts tut, glaubt man, für alles verantwortlich zu sein. Ich arbeitete. *Zu Franz.* Was möchtest du also gern hören? Daß Hitler und Himmler Verbrecher sind? Also gut: ich sage es hiermit. *Lachend.* Aber das ist meine ganz persönliche Meinung, mit der nicht das geringste anzufangen ist.

FRANZ: Wir sind also ohnmächtig?

DER VATER: Wenn wir uns für die Ohnmacht entscheiden – ja. Wenn du deine Zeit damit verbringst, die Menschen vor dem Thron Gottes anzuklagen, dann kannst du für sie nichts tun. *Pause.* Zwanzigtausend Arbeiter seit März. Wir bauen auf. Wir bauen auf. Meine Helligen schießen in einer Nacht aus dem Boden . . . Ich habe unbeschränkte Macht.

FRANZ: Gewiß: Aber du dienst den Nazis.

DER VATER: Weil sie mir dienen. Gewiß – diese Leute da oben sind der Plebs auf dem Thron. Aber sie führen Krieg, um uns neue Märkte zu erschließen, und ich werde mich mit ihnen nicht wegen einer Terrainangelegenheit überwerfen.

FRANZ *starrköpfig:* Ich bleibe dabei: Du hättest die Hände davon lassen sollen.

DER VATER: Mein kleiner Prinz! Mein kleiner Prinz! Du willst die Welt auf deinen Schultern tragen? Die Welt ist eine schwere Last, und du kennst sie nicht. Laß das. Kümmere dich lieber um das Unternehmen: heute gehört es mir, morgen dir: es ist mein Leib und mein Blut, meine Macht, meine ganze Kraft, deine Zukunft.

In zwanzig Jahren wirst du mit deinen Schiffen die Meere beherrschen, aber wer wird dann noch nach Hitler fragen? *Pause.* Du bist zu abstrakt.

FRANZ: Nicht so sehr, wie du glaubst.

DER VATER: Ach? *Er sieht ihn aufmerksam an.* Und was hast du getan? Etwas Böses?

FRANZ *stolz:* Nein.

DER VATER: Etwas Gutes? *Langes Schweigen.* Verdammt noch mal! *Pause.* Also? Ist es schlimm?

FRANZ: Ja.

DER VATER: Mein kleiner Prinz, sei unbesorgt, ich werde es schon in Ordnung bringen.

FRANZ: Nicht dieses Mal.

DER VATER: Dieses Mal wie alle anderen Male. *Pause.* Nun? *Pause.* Soll ich Fragen stellen? *Er überlegt.* Betrifft es die Nazis? Gut. Das Konzentrationslager? Gut. *Ihm geht plötzlich ein Licht auf.* Der Pole! *Er erhebt sich und geht aufgeregt im Zimmer auf und ab. Zu Johanna.* Da war nämlich ein polnischer Rabbiner: er war der Wache entflohen, und der Lagerkommandant hatte uns das mitgeteilt. *Zu Franz.* Und wo ist er?

FRANZ: In meinem Zimmer. *Pause.*

DER VATER: Wo hast du ihn denn gefunden?

FRANZ: Im Park. Er hat sich nicht einmal versteckt. Er hat einfach den Kopf verloren — und da ist er weggelaufen, jetzt hat er Angst. Wenn sie ihn erwischen ...

DER VATER: Ich weiß. *Pause.* Wenn ihn niemand gesehen hat, ist alles gut. Wir werden ihn mit dem Lastwagen nach Hamburg schmuggeln. *Franz sieht ihn weiter gespannt an.* Hat man ihn gesehen? Schön! Und wer?

FRANZ: Fritz.

DER VATER *im Konversationston zu Johanna:* Das war unser Chauffeur — ein echter Nazi.

FRANZ: Er hat sich heute früh das Auto genommen und gesagt, er wolle damit nach Altona in die Werkstatt fahren. Aber er ist bis jetzt noch nicht zurück. *Mit einem Anflug von Stolz.* Bin ich wirklich so abstrakt?

DER VATER *lächelnd:* Mehr denn je. *Mit veränderter Stimme.* Warum hast du ihn denn in dein Zimmer gebracht? Um meine Schuld wiedergutzumachen? *Schweigen.* Antworte: Du hast es für mich getan.

FRANZ: Für uns beide. Du und ich — wir sind eins.

DER VATER: Ja. *Pause.* Wenn Fritz dich nun denunziert hat?

FRANZ *fortfahrend:* Werden sie kommen – ich weiß.

DER VATER: Geh hinauf in Lenis Zimmer und schieb den Riegel vor. Das ist ein Befehl. Ich werde schon alles in Ordnung bringen. *Franz sieht ihn zweifelnd an.* Was?

FRANZ: Der Häftling ...

DER VATER: Ich habe gesagt alles! Der Häftling befindet sich unter meinem Dach. Geh jetzt.
Franz verschwindet. Der Vater setzt sich wieder.

JOHANNA: Sind sie gekommen?

DER VATER: Fünfundvierzig Minuten später.
Ein SS-Führer taucht im Hintergrund auf. Hinter ihm, unbeweglich und stumm, zwei SS-Männer.

DER SS-FÜHRER: Heil Hitler!

DER VATER *in das Schweigen hinein:* Heil Hitler! Wer sind Sie und was wollen Sie?

DER SS-FÜHRER: Wir haben Ihren Sohn soeben in seinem Zimmer mit einem entflohenen Häftling erwischt, den er seit gestern abend dort versteckt hält.

DER VATER: In seinem Zimmer? *Zu Johanna.* Er wollte sich nicht bei Leni einschließen, der gute Junge. Er hat alles auf sich genommen. *Zu dem SS-Führer.* Gut. Und was weiter?

DER SS-FÜHRER: Haben Sie verstanden?

DER VATER: Sehr gut. Mein Sohn hat damit eine große Unbesonnenheit begangen.

DER SS-FÜHRER *mit erstaunter Entrüstung:* Eine was? *Pause.* Stehen Sie auf, wenn ich mit Ihnen rede!
Das Telefon läutet.

DER VATER *ohne sich zu erheben:* Nein. *Er nimmt den Hörer ab und reicht ihn dem SS-Führer, ohne sich zu erkundigen, wer am Apparat ist. Der SS-Führer reißt ihm den Hörer aus der Hand.*

DER SS-FÜHRER *am Telefon:* Hallo? *Er schlägt dabei die Hacken zusammen.* Jawohl. Jawohl. Jawohl. Verstanden! *Während er auf das hört, was man ihm durch das Telefon sagt, blickt er den Vater erstaunt an.* Gut. Verstanden. *Er schlägt die Hacken zusammen und legt den Hörer wieder auf.*

DER VATER *hart und ohne zu lächeln:* Eine Unbesonnenheit, nicht wahr?

DER SS-FÜHRER: Jawohl – eine Unbesonnenheit.

DER VATER: Wenn Sie ihm auch nur ein Haar gekrümmt haben ...

DER SS-FÜHRER: Er stürzte sich auf uns.

DER VATER *überrascht und beunruhigt:* Mein Sohn? *Der SS-Führer macht eine beruhigende Geste.* Und Sie haben ihn geschlagen?

DER SS-FÜHRER: Nein. Ich schwöre es Ihnen. Nur überwältigt ...

DER VATER *überlegend:* Er stürzte sich auf Sie! Das ist nicht seine Art. Sie müssen ihn provoziert haben. Was haben Sie gemacht? *Der SS-Führer schweigt.* Den Häftling! *Er erhebt sich.* Vor seinen Augen? Vor den Augen meines Sohnes? *Er wird bleich vor Zorn, drohend.* Es scheint mir, Sie haben da etwas übereifrig gehandelt. Ihren Namen bitte!

DER SS-FÜHRER *erbärmlich:* Hermann Aldrich.

DER VATER: Aldrich! Ich gebe Ihnen mein Wort darauf, daß Ihnen der 23. Juni 1941 Ihr Leben lang in Erinnerung bleiben wird. Verschwinden Sie!

Der SS-Führer verschwindet mit seinen Leuten.

JOHANNA: Ist er ihm in Erinnerung geblieben?

DER VATER *lächelnd:* Ich glaube. Aber er hatte kein sehr langes Leben.

JOHANNA: Und Franz?

DER VATER: Er wurde auf der Stelle freigelassen. Das heißt unter der Bedingung, daß er sich freiwillig meldete. Schon im folgenden Winter stand er als Leutnant an der russischen Front. *Pause.* Was hast du?

JOHANNA: Die Geschichte gefällt mir nicht.

DER VATER: Ich behaupte nicht, daß sie mir gefällt. *Pause.* Das war 41, liebe Schwiegertochter.

JOHANNA *trocken:* Na und?

DER VATER: Man mußte überleben.

JOHANNA: Der Pole hat nicht überlebt.

DER VATER *gleichgültig:* Nein. Das ist nicht meine Schuld.

JOHANNA: Das frage ich mich.

WERNER: Johanna!

JOHANNA: Du hattest fünfundvierzig Minuten zur Verfügung. Was hast du in dieser Zeit unternommen, um deinen Sohn zu retten?

DER VATER: Das weißt du genau.

JOHANNA: Eben. Göring war in Hamburg, und du hast ihn angerufen.

DER VATER: Ja.

JOHANNA: Du hast ihm von dem entflohenen Häftling erzählt und ihn angefleht, sich deinem Sohn gegenüber nachsichtig zu zeigen.

DER VATER: Ich habe auch darum gebeten, das Leben des Häftlings zu schonen.

JOHANNA: Das versteht sich. *Pause.* Aber als du mit Göring telefoniertest ...

DER VATER: Ja ...

JOHANNA: ... da konntest du doch gar nicht wissen, ob der Chauffeur Franz wirklich denunziert hat.

DER VATER: Aber geh! Er hat uns dauernd bespitzelt.

JOHANNA: Ja, aber es konnte doch gut sein, daß er nichts gesehen und das Auto aus einem ganz anderen Grunde genommen hatte.

DER VATER: Kann sein.

JOHANNA: Natürlich hast du ihn nicht gefragt.

DER VATER: Wen?

JOHANNA: Diesen Fritz. *Der Vater zuckt die Achseln.* Und wo ist er jetzt?

DER VATER: In Italien – unter einem Holzkreuz.

JOHANNA *nach einer Weile:* Ach so. Davon werden wir uns nie ganz reinwaschen können. Wenn es nicht Fritz war, der den Häftling verraten hat – dann mußt du es gewesen sein.

WERNER *heftig:* Ich verbiete dir ...

DER VATER: Schrei nicht immerzu, Werner! *Werner schweigt.* Du hast recht, mein Kind. *Pause.* Als ich den Hörer abnahm, sagte ich mir, die Chancen stehen zwei zu eins.
Nach einer Weile.

JOHANNA: Zwei zu eins, einen Juden ans Messer zu liefern. *Pause.* Das hindert dich nicht, ruhig zu schlafen?

DER VATER *ruhig:* Nicht im geringsten.

WERNER *zum Vater:* Vater, ich stimme dir ohne Einschränkung zu. Alle Menschenleben haben gleichen Wert. Aber wenn man wählen muß, zieht man das des Sohnes vor.

JOHANNA *sanft:* Es geht nicht darum, was du dir denkst, Werner, sondern darum, wie Franz darüber gedacht hat. Und wie hat er darüber gedacht, Leni?

LENI *lächelnd:* Du kennst doch die Gerlachs, Johanna.

JOHANNA: Er hat geschwiegen?

LENI: Er ist abgefahren, ohne ein Wort zu sagen, und hat uns niemals geschrieben. *Pause.*

JOHANNA *zum Vater:* Du hattest ihm doch gesagt, du würdest alles in Ordnung bringen, und er hatte sich, wie immer, auf dich verlassen.

DER VATER: Ich habe mein Wort gehalten: Man hatte mir versichert, daß der Häftling nicht bestraft wird. Konnte ich auf den Gedanken kommen, daß sie ihn trotzdem vor den Augen meines Sohnes töten?

JOHANNA: Es war schließlich 1941, Vater. 1941 – da mußte man auf alles gefaßt sein. *Sie geht zu den Photos und betrachtet sie. Pause. Während sie noch immer die Photos betrachtet.* Er war ein kleiner Puritaner, ein Opfer Luthers: er wollte für das Gelände, das du Himmler verkauft hattest, mit seinem Blute zahlen. *Sie wendet sich an den Vater:* Du hast alles zunichte gemacht. Übrig blieb nur ein Spiel für Kinder reicher Leute. Unter Lebensgefahr, natürlich: für den Partner. Aber was Franz anging ... er hat begriffen, daß man ihm alles nachsah, weil er nicht zählte.

DER VATER, *dem ein Licht aufgeht, auf Johanna zeigend:* Du bist die Frau, die er gebraucht hätte.

Werner und Leni wenden sich ihm rasch zu.

WERNER *wütend:* Was willst du damit sagen?

LENI: Wie geschmacklos, Vater!

DER VATER *zu den beiden anderen:* Sie hat es sofort begriffen. *Zu Johanna:* Nicht wahr? Ich hätte lieber zwei Jahre Gefängnis aushandeln sollen. Es war ein Fehler! Alles wäre besser gewesen als Straffreiheit. *Pause. Er träumt.*

Johanna betrachtet noch immer die Photos. Werner erhebt sich, packt sie bei den Schultern und dreht sie zu sich um.

JOHANNA *kalt:* Was willst du?

WERNER: Wegen Franz laß dir keine grauen Haare wachsen: er war nicht der Typ, sich mit einer Niederlage lange aufzuhalten.

JOHANNA: Wieso?

WERNER *auf das Photo zeigend:* Sieh doch hin! Zwölf Auszeichnungen.

JOHANNA: Zwölf Niederlagen mehr. Er lief dem Tode nach, aber er hatte kein Glück: der Tod lief schneller als er. *Zum Vater:* Aber reden wir nicht mehr davon: er war im Krieg, er ist 1946 zurückgekommen, und dann, ein Jahr später, gab es den Skandal. Worum hat es sich da gehandelt?

DER VATER: Um eine Eulenspiegelei unserer Leni.

LENI *bescheiden:* Vater ist zu gütig. Ich habe nur den Anlaß geliefert. Das war alles.

DER VATER: Wir hatten amerikanische Offiziere im Haus. Leni hat ihnen schöne Augen gemacht, und wenn sie Feuer gefangen hatten, dann flüsterte sie ihnen ins Ohr: «Ich bin Nazi.» Und beschimpfte sie als «Dreckjuden».

LENI: Um sie abzukühlen. Das war doch lustig, nicht wahr?

JOHANNA: Sehr lustig! Und waren sie abgekühlt?

DER VATER: Manche schon. Andere gingen in die Luft. Einer besonders hat die Sache sehr übelgenommen.

LENI *zu Johanna:* Der Amerikaner ist entweder Jude oder Antisemit – wenn er nicht beides zugleich ist. Der Betreffende war kein Jude: er war wütend.

JOHANNA: Und was dann?

LENI: Er wollte mich vergewaltigen. Franz kam mir zu Hilfe, sie wälzten sich am Boden, und dabei bekam der Kerl die Oberhand. Ich nahm eine Flasche und schlug sie ihm über den Schädel.

JOHANNA: War er tot?

DER VATER *sehr ruhig:* Denkst du! Die Flasche ist zerbrochen an seinem Schädel! *Pause.* Sechs Wochen Krankenhaus waren die Folge. Franz hat natürlich alles auf sich genommen.

JOHANNA: Auch den Schlag mit der Flasche?

DER VATER: Alles.

Im Hintergrund tauchen zwei amerikanische Offiziere auf. Der Vater wendet sich an sie.

DER VATER: Es war eine Unbesonnenheit, verstehen Sie mich recht: eine arge Unbesonnenheit. *Pause.* Ich bitte Sie, General Hopkins in meinem Namen zu danken. Sagen Sie ihm, mein Sohn wird Deutschland verlassen, sobald er sein Visum hat.

JOHANNA: Für Argentinien?

DER VATER *wendet sich an sie, während die Amerikaner wieder verschwinden:* Das war die Bedingung.

JOHANNA: Ich verstehe.

DER VATER *sehr abgespannt:* Die Amerikaner sind wirklich sehr anständig gewesen.

JOHANNA: Wie Göring 1941.

DER VATER: Anständiger! Viel anständiger! Washington hatte natürlich die Absicht, unser Werk wiederherzustellen und uns den Wiederaufbau der Handelsflotte zu übertragen.

JOHANNA: Armer Franz!

DER VATER: Was konnte ich machen? Schließlich standen große Interessen auf dem Spiel. Und sie wogen schwerer als der Schädel eines Hauptmanns. Selbst wenn ich mich nicht für Franz eingesetzt hätte, wäre die Sache von den Besatzungsmächten vertuscht worden.

JOHANNA: Das ist gut möglich. *Pause.* Er hat sich geweigert, Deutschland zu verlassen?

DER VATER: Nicht sofort. *Pause.* Man hatte mir das Visum für ihn gegeben, und er sollte an einem Sonnabend abfahren. Freitag früh kam Leni und erklärte mir, er würde niemals mehr die Treppe herunterkommen. *Pause.* Zunächst glaubte ich, er wäre tot. Aber dann sah ich die Augen meiner Tochter, und da wußte ich: sie hatte gewonnen.

JOHANNA: Was gewonnen?

DER VATER: Das hat sie niemals gesagt.

Leni *lächelnd:* Weißt du, wir spielen hier: wer verliert, gewinnt.

Johanna: Und was geschah dann?

Der Vater: So leben wir nun seit dreizehn Jahren.

Johanna *auf das Bild blickend:* Seit dreizehn Jahren . . .

Werner: Das war gute Arbeit. Glaub mir, es hat mir richtig Vergnügen gemacht, alles genau zu beobachten. Wie du sie dirigiert hast, die Arme. Anfangs hat sie kaum hingehört, und zum Schluß hörte sie mit dem Fragen nicht auf. Übrigens – das Porträt ist vollendet. *Lachend.* «Du bist die Frau, die er gebraucht hätte!» Bravo, Vater! Das ist genial.

Johanna: Hör auf! Wir verlieren uns in Einzelheiten.

Werner: Wir sind längst verloren: was bleibt uns noch? *Er ergreift ihren Arm oberhalb des Ellbogens, zieht sie zu sich heran und betrachtet sie.* Wohin siehst du? Du hast Augen so weiß wie eine Statue. *Er stößt sie plötzlich von sich.* So eine vulgäre Schmeichelei! Und du bist drauf reingefallen! Du enttäuschst mich, meine Liebe. *Pause, alle Augen sind auf ihn gerichtet.*

Johanna: Jetzt ist der Augenblick gekommen.

Werner: Wofür?

Johanna: Für den Todesstoß.

Werner: Was für einen Todesstoß?

Johanna: Den für dich. *Pause.* Jetzt haben sie uns so weit. Wenn sie zu mir von Franz sprachen, dann richteten sie es beide so ein, daß ihre Worte dich indirekt trafen.

Werner: Vielleicht haben sie m i c h hinters Licht geführt?

Johanna: Sie haben niemanden hinters Licht geführt, aber sie haben dich glauben machen wollen, daß sie mich hinters Licht geführt hätten.

Werner: Und warum, bitte?

Johanna: Um dir zu beweisen, daß dir nichts gehört – nicht einmal deine eigene Frau. *Der Vater reibt sich leise die Hände. Pause. Dann plötzlich.* Bring mich von hier fort! *Kurzes Schweigen.* Ich bitte dich darum! *Werner lacht. Sie wird hart und kalt.* Zum letzten Male bitte ich dich darum: laß uns gehen! Zum letzten Mal, hörst du?

Werner: Ich höre. Hast du sonst noch Fragen zu stellen?

Johanna: Nein.

Werner: Ich tue also, was ich will. *Johanna nickt ihm erschöpft mit dem Kopf zu.* Sehr gut. *Er zeigt auf die Bibel.* Ich schwöre, daß ich Vaters letzten Willen befolgen werde.

Der Vater: Du wirst hierbleiben?

Werner *mit der Hand noch immer auf die Bibel zeigend:* Ja – da du es so wünschst. Dies ist mein Haus, hier werde ich leben und hier werde ich sterben. *Er senkt den Kopf.*

DER VATER *erhebt sich und geht auf ihn zu. Mit dem Ausdruck liebevoller Hochachtung:* Das lasse ich mir gefallen! *Er sieht ihn lächelnd an. Nachdem Werner zunächst ein süßsaures Gesicht gemacht hat, lächelt er ihn schließlich an, und sein Gesicht drückt jetzt Dankbarkeit und Ergebenheit aus.*

JOHANNA *alle ansehend:* So – das wäre also euer «Familienrat». *Pause.* Werner, ich gehe. Mit dir oder ohne dich – wähle.

WERNER *ohne sie anzusehen:* Ohne mich.

JOHANNA: Gut. *Kurze Pause.* Ich wünsche dir, daß du mich nicht zu sehr vermißt.

LENI: Wir werden dich alle vermissen. Besonders Vater. Wann willst du uns verlassen?

JOHANNA: Das weiß ich noch nicht. Wenn ich überzeugt bin, daß ich die Partie verloren habe.

LENI: Davon bist du nicht überzeugt?

JOHANNA *mit einem Lächeln:* Nein – noch nicht. *Pause.*

LENI *die zu begreifen glaubt:* Wenn die Polizei hier eindringt, wird man uns alle drei verhaften, weil wir einen Verbrecher versteckt halten. Mich aber wird man darüber hinaus auch noch des Mordes beschuldigen.

JOHANNA *ungerührt:* Sehe ich so aus, als würde ich die Polizei rufen? *Zum Vater.* Gestatte, daß ich mich zurückziehe.

DER VATER: Gute Nacht, mein Kind. *Sie verneigt sich kurz und geht. Werner fängt an zu lachen.*

WERNER *lachend:* Nun ... Nun ... *Er hört plötzlich auf zu lachen, dann nähert er sich seinem Vater, berührt schüchtern seinen Arm und sieht ihn mit unruhiger Zärtlichkeit an.* Bist du nun zufrieden?

DER VATER *entsetzt:* Rühr mich nicht an! *Pause.* Der Familienrat ist beendet. Geh jetzt zu deiner Frau. *Werner sieht ihn einen Augenblick verzweifelt an, dann macht er kehrt und geht.*

3. SZENE

Der Vater, Leni

LENI: Glaubst du nicht, daß du doch etwas zu hart bist?

DER VATER: Mit Werner? Wenn es nötig wäre, würde ich milder mit ihm umgehen. Aber glaub mir, bei ihm ist Härte angebracht.

LENI: Man sollte es nicht auf die Spitze treiben.

DER VATER: Bah!

LENI: Seine Frau führt etwas im Schilde.

DER VATER: Das ist alles nur Theater: Der Ärger hat die Schauspielerin in ihr wieder aufgeweckt, und die Schauspielerin wünschte einen guten Abgang.

LENI: Gott gebe es ... *Pause.* Bis heute abend, Vater. *Sie wartet darauf, daß er geht, aber er rührt sich nicht.* Ich werde jetzt die Fensterläden schließen, und dann muß ich mich um Franz kümmern. *Insistierend.* Bis heute abend.

DER VATER *lächelnd:* Ich gehe schon, ich gehe schon. *Pause.* Weiß er, was mich erwartet?

LENI *erstaunt:* Wer? Ach so – Franz? Um Himmels willen – nein.

DER VATER: Ach! *Mit peinlicher Ironie.* Du wolltest ihn wohl schonen?

LENI: Ihn schonen? Du könntest unter einen Zug kommen ... *Gleichgültig.* Um offen zu sein: Ich habe einfach vergessen, es ihm zu sagen.

DER VATER: Mach dir einen Knoten ins Taschentuch!

LENI *nimmt ein Taschentuch und macht einen Knoten hinein:* So.

DER VATER: Wirst du es auch nicht vergessen?

LENI: Nein. Aber es muß sich schon eine passende Gelegenheit ergeben.

DER VATER: Wenn sie sich ergibt, dann frage ihn bitte auch, ob er bereit ist, mich zu empfangen.

LENI *matt:* Auch das noch! *Hart, aber nicht zornig.* Er wird dich nicht empfangen. Das weißt du doch seit dreizehn Jahren. Warum zwingst du mich also, dir das jeden Tag von neuem zu sagen?

DER VATER *heftig:* Was soll ich wissen, du dummes Ding! Was soll ich wissen? Du lügst, wenn du nur den Mund aufmachst. Weiß ich, ob du ihm meine Briefe überhaupt gibst und ob du meine Bitten ausrichtest? Ich frage mich manchmal, ob du ihm nicht vielleicht erzählt hast, daß ich seit zehn Jahren tot bin.

LENI *die Achseln zuckend:* Worauf bist du denn aus?

DER VATER: Ich suche die Wahrheit oder einen Schlüssel zu deinen Lügen.

LENI *auf den ersten Stock zeigend:* Die Wahrheit – die ist da oben. Geh doch hinauf – da wirst du sie schon finden. Geh! Nun geh doch!

DER VATER *sein Ärger legt sich, er scheint erschrocken:* Du bist verrückt!

LENI: Frag ihn doch! Dann weißt du Bescheid.

DER VATER *auf ihr Spiel eingehend:* Aber ich kenne doch nicht einmal . . .

LENI: Ach so – das Zeichen! *Lachend.* Ach! Und ob du es kennst! Mehr als hundertmal habe ich dich dabei erwischt, wie du mir nachgeschlichen bist. Ich habe deine Schritte gehört, ich habe deinen Schatten gesehen, und ich habe den Mund gehalten, aber ich habe mich beherrschen müssen, um keinen Lachkrampf zu bekommen. *Der Vater will protestieren.* Ich habe mich getäuscht, meinst du? Nun gut – dann habe ich eben das Vergnügen, es dir selbst zu verraten.

DER VATER *unerbittlich und gegen seinen eigenen Willen:* Nein – nicht!

LENI: Gib vier, dann fünf, dann zweimal drei Klopfzeichen. Was hält dich noch zurück?

DER VATER: Wie werde ich ihn vorfinden? *Pause. Mit dumpfer Stimme:* Ich würde es nicht ertragen, wenn er mich hinauswürfe.

LENI: Es wäre dir also lieber, du könntest dich überzeugen, daß ich ihn davon abhalte, dir in die Arme zu fallen?

DER VATER *peinlich berührt:* Ich muß mich entschuldigen, Leni. Ich bin oft ungerecht. *Er fährt ihr mit der Hand zärtlich über den Kopf, sie zuckt zusammen.* Deine Haare sind weich. *Er liebkost sie zerstreut, als denke er dabei über etwas nach.* Hast du Einfluß auf ihn?

LENI *voll Stolz:* Natürlich.

DER VATER: Könntest du nicht, so nach und nach, wenn du es geschickt anfängst . . . Ich bitte dich, besonders auf das zu drängen, woran mir am meisten liegt! Mein erster Besuch wird auch mein letzter sein. Ich werde nur eine Stunde bleiben. Weniger, wenn es ihn zu sehr anstrengen sollte. Und sag ihm vor allem, daß ich warten kann. *Lächelnd.* Aber natürlich – nicht zu lange.

LENI: Eine einzige Zusammenkunft also?

DER VATER: Eine einzige.

LENI: Eine einzige – und dann sterben. Wozu willst du ihn denn noch einmal sehen?

DER VATER: Um ihn wiederzusehen. *Sie lacht ihm unverschämt ins Gesicht.* Und um Abschied von ihm zu nehmen.

LENI: Was würde es ändern, wenn du dich auf französisch verabschieden würdest?

DER VATER: Alles. Wenn ich ihn noch einmal wiedersehe, kann ich den Schlußstrich unter meine Rechnung ziehen.

LENI: Wozu so viel Umstände? Das Leben zieht den Schlußstrich schon von selbst.

Der Vater: Glaubst du? *Kurzes Schweigen.* Ich muß den Schlußstrich selbst ziehen, wenn nicht alles zerfallen soll. *Mit einem fast schüchternen Lächeln.* Schließlich habe ich es gelebt, dieses Leben: ich kann nicht zulassen, daß es sich verflüchtigt. *Pause. Fast schüchtern.* Wirst du es ihm also sagen?

Leni *brutal:* Warum sollte ich? Seit dreizehn Jahren bin ich hier auf Wache gezogen, und da sollte ich in meiner Wachsamkeit nachlassen, wo es nur noch sechs Monate durchzuhalten gilt?

Der Vater: Du bewachst ihn also vor mir?

Leni: Vor allen, die seinen Untergang wünschen.

Der Vater: Ich will seinen Untergang?

Leni: Ja.

Der Vater *heftig:* Bist du irrsinnig? *Er beruhigt sich wieder. In dem brennenden Wunsch, sie zu überzeugen, fast flehend.* Hör mich bitte an: Vielleicht gehen unsere Vorstellungen über das, was ihm nützt, auseinander. Aber ich bitte ja nur darum, ihn ein einziges Mal sehen zu können. Wo sollte ich da die Zeit hernehmen, ihm zu schaden – selbst wenn ich die Absicht hätte? *Sie lacht grob.* Ich gebe dir mein Wort.

Leni: Ich habe dich nicht darum gebeten. Keine Geschenke, bitte.

Der Vater: Sagen wir offen, was wir denken!

Leni: Die Gerlachs sagen nicht, was sie denken.

Der Vater: Und du bildest dir ein, daß du mich in der Hand hast?

Leni *im gleichen Ton und mit dem gleichen Lächeln:* Habe ich dich nicht ein wenig in der Hand?

Der Vater *dessen Mund Ironie und Geringschätzung ausdrückt:* Das denkst du!

Leni: Wer von uns beiden, Vater, hat den anderen nötig?

Der Vater *sanft:* Wer von uns beiden, Leni, versucht, dem anderen Angst einzuflößen?

Leni: Ich habe keine Angst vor dir. *Lachend.* So ein Bluff! *Sie sieht ihn herausfordernd an.* Weißt du, was mich unverwundbar macht? Ich bin glücklich.

Der Vater: Du? Was weißt du schon von Glück?

Leni: Und du? Was weißt du davon?

Der Vater: Ich brauche dich ja nur anzusehen: Dir diese Augen zu geben, war die raffinierteste Strafe, die ich mir denken kann.

Leni *fast irre vor Wut:* Ja! Ja! Meinetwegen die raffinierteste: die raffinierteste! Ich muß nun mal immer in Bewegung sein! Wenn ich stillstehe, platze ich! Das ist das Glück, das wahnsinnige Glück! *Triumphierend und bösartig.* Ich sehe Franz. Ich habe also alles, was ich will. *Der Vater lacht leise. Sie unterbricht sich und sieht ihn unbeweglich an.* Nein. Es stimmt: Du bluffst nie. Ich nehme daher an, du hast noch einen Trumpf. Gut. Zeig ihn!

DER VATER *gutmütig:* Sofort?

LENI *hart:* Sofort. Ich werde dir nicht erlauben, ihn in Reserve zu halten und in einem Augenblick auszuspielen, wenn ich nicht darauf vorbereitet bin.

DER VATER *noch immer gutmütig:* Und wenn ich ihn nun nicht zeigen will?

LENI: Dann werde ich dich dazu zwingen.

DER VATER: Und wie?

LENI: Ich bleibe hart. *Sie ergreift nicht ohne Anstrengung die Bibel und legt sie auf einen Tisch.* Franz wird dich nicht empfangen — das schwöre ich dir. *Die Hand ausstreckend.* Ich schwöre auf diese Bibel, daß du sterben wirst, ohne ihn noch einmal gesehen zu haben. *Pause.* So. *Pause.* Gib dein Spiel verloren!

DER VATER *sanft:* Sieh da! Und du hast nicht einmal einen Lachkrampf bekommen. *Er fährt ihr mit der Hand zärtlich über das Haar.* Wenn ich dir mit der Hand über das Haar streiche, muß ich an die Erde denken: außen seidenweich verkleidet, und innen kocht es. *Er reibt sich leise die Hände. Dann mit einem harmlosen und sanften Lächeln.* So — ich lasse dich jetzt allein, mein Kind. *Er geht.*

4. SZENE

Leni allein, dann Johanna, dann der Vater

Leni bleibt links, die Augen starr auf die Tür im Hintergrund gerichtet, durch die der Vater das Zimmer verlassen hat. Sie faßt sich und geht nach rechts zu den Glastüren und öffnet sie. Danach schließt sie die großen Fensterläden und dann auch die Glastüren. Das Zimmer ist jetzt in einen Halbschatten getaucht. — Dann geht sie langsam die Treppe hinauf, die zum ersten Stock führt, und klopft bei Franz: erst viermal, dann fünfmal, dann zweimal hintereinander dreimal. — In dem Augenblick, wo sie zweimal hintereinander dreimal klopft, öffnet sich die rechte Tür im Hintergrund, und Johanna tritt leise ein. Sie lauscht. Jetzt hört man, wie ein Riegel zurückgeschoben und eine Eisenstange hochgehoben wird. Die Tür oben öffnet sich und läßt den Lichtschein durch, der das Zimmer von Franz erhellt. Er selbst erscheint nicht. Leni geht hinein und schließt die Tür hinter sich. Man hört, wie sie den Riegel wieder vorschiebt und die Eisenstange herabläßt.

Johanna tritt ins Zimmer, nähert sich einem kleinen Tischchen und trommelt mit dem Zeigefinger zweimal hintereinander dreimal auf den Tisch, um sich das Zeichen ins Gedächtnis zurückzurufen. Offensichtlich hat sie die Serie der fünf und der vier Schläge nicht gehört. Sie wiederholt das Manöver. –
In diesem Augenblick gehen alle Glühbirnen des Kronleuchters an. Johanna fährt zwar erschrocken auf, unterdrückt aber einen Schrei. Der Vater, der den Schalter angedreht hat, erscheint zur Linken. Johanna hält Hand und Unterarm vor die Augen.

DER VATER: Wer ist da? *Sie nimmt die Hand vom Gesicht.* Ach du, Johanna! *Er geht auf sie zu.* Das tut mir leid. *Er befindet sich jetzt in der Mitte des Zimmers.* In den Polizeiverhören strahlt man den Beschuldigten mit Scheinwerfern an. Was wirst du jetzt von mir denken, nachdem ich dich mit so viel Licht geblendet habe?

JOHANNA: Ich denke, daß du es wieder ausmachen solltest.

DER VATER *ohne sich vom Fleck zu rühren:* Und außerdem?

JOHANNA: Und außerdem, daß du zwar nicht von der Polizei bist, mich aber doch einem Verhör unterziehen möchtest. *Der Vater lächelt und läßt die Arme in geheuchelter Niedergeschlagenheit fallen. Lebhaft.* Du wirst dieses Zimmer niemals betreten. Was hättest du gemacht, wenn du mich nicht bemerkt hättest?

DER VATER: Aber du, mein Kind, wirst es auch nie betreten. *Johanna antwortet nicht.* Das Verhör findet nicht statt. *Er macht zwei Lampen an – die Lampenschirme sind aus rotem Musselin – und löscht den Kronleuchter aus.* So – nun hast du das rote Licht der Halbwahrheiten. Fühlst du dich nun wohler?

JOHANNA: Nein. Erlaube mir, daß ich mich zurückziehe.

DER VATER: Ich werde es dir erlauben, sobald du meine Antwort angehört hast.

JOHANNA: Ich habe dich nichts gefragt.

DER VATER: Du hast mich gefragt, was ich hier wollte, und ich halte mich für verpflichtet, es dir zu sagen, obwohl ich keine Veranlassung habe, darauf besonders stolz zu sein. *Kurze Pause.* Seit Jahren setze ich mich fast jeden Tag, wenn ich mich vergewissert habe, daß mich Leni nicht überraschen wird, in diesen Sessel und warte.

JOHANNA *gegen ihren Willen interessiert:* Worauf?

DER VATER: Daß Franz in seinem Zimmer auf und ab geht und daß ich das Glück habe, seine Schritte zu hören. *Pause.* Das ist alles, was man mir von meinem Sohn gelassen hat, das Tapsen von zwei Schuhsohlen auf dem Fußboden. *Pause.* In der Nacht – stehe ich auf. Wenn alles schläft, weiß ich, daß Franz wach ist: wir leiden beide an derselben Schlaflosigkeit – er und ich. Das ist auch eine Art von Gemeinsamkeit. Und du, Johanna? Wen wolltest du belauschen?

JOHANNA: Ich wollte niemanden belauschen.

DER VATER: Ach – dann war es also Zufall – reiner Zufall . . . Und ein so glücklicher: ich hatte nämlich gerade den Wunsch, mit dir einmal unter vier Augen zu sprechen. *Johanna ist verwirrt. Lebhaft:* Nein, nein, keine Geheimnisse, keine Geheimnisse – außer vor Leni. Du wirst Werner natürlich alles erzählen, nehme ich an.

JOHANNA: In diesem Fall wäre es das einfachste, ihn zu rufen.

DER VATER: Ich bitte dich nur um zwei Minuten. Zwei Minuten, und ich werde ihn selbst rufen. Das heißt – wenn du es dann noch willst. *Der letzte Satz löst bei Johanna offensichtlich Überraschung aus. Sie bleibt stehen und sieht ihm ins Gesicht.*

JOHANNA: Gut. Was willst du also?

DER VATER: Mit meiner Schwiegertochter über ihre Ehe sprechen.

JOHANNA: Unsere Ehe ist zerbrochen.

DER VATER: Was willst du damit sagen?

JOHANNA: Nichts Neues: Du hast sie zerbrochen.

DER VATER *bestürzt:* Mein Gott! Aber bestimmt nur aus Ungeschicklichkeit. *Fürsorglich.* Ich habe geglaubt, du würdest schon ein Mittel haben, sie wieder zu kitten. *Sie geht schnell in den Hintergrund nach links.* Was machst du da?

JOHANNA *die alle Lampen anmacht:* Das Verhör kann beginnen: ich schalte die Scheinwerfer ein. *Sie postiert sich wieder unter dem Kronleuchter.* Wo soll ich mich hinstellen? Hierher? Gut. Jetzt – unter dem kalten Licht der vollen Wahrheiten und der perfekten Lügen – erkläre ich, daß ich kein Geständnis ablegen werde, und zwar aus dem einfachen Grunde, weil ich nichts zu gestehen habe. Ich stehe allein da, ich bin machtlos, und ich bin mir meiner Ohnmacht voll und ganz bewußt. Ich gehe. Ich werde Werner in Hamburg erwarten. Wenn er nicht zurückkommt . . . *Sie macht eine verzweifelte Geste.*

DER VATER *sehr ernst:* Arme Johanna. Wir haben dir nur Böses angetan! *Mit veränderter Stimme, auf einmal vertraulich und fröhlich:* Und vor allen Dingen: Mach dich schön!

JOHANNA *lächelnd:* Wie bitte?

DER VATER *lächelnd:* Ich sage: mach dich schön!

JOHANNA *die sich fast beschimpft fühlt, heftig:* Schön!

DER VATER: Das fällt dir doch nicht schwer.

JOHANNA *auf das Spiel eingehend:* Schön! An unserem Abschiedstag, nehme ich an, werde ich hier das beste Andenken hinterlassen.

DER VATER: Nein, Johanna, an dem Tage, an dem du zu Franz gehst. *Johanna ist weiter beeindruckt.* Die zwei Minuten sind um: soll ich deinen Mann jetzt rufen? *Sie winkt ab.* Sehr gut: es bleibt unter uns.

JOHANNA: Werner wird alles erfahren.

DER VATER: Wann?

JOHANNA: In einigen Tagen. Ja, ich werde ihn sehen, deinen Franz. Ich werde diesen Haustyrannen sehen, denn es ist besser, sich direkt an Gott zu wenden, als an seine Heiligen.

DER VATER *nach einer Weile:* Ich freue mich, daß du dein Glück versuchen willst. *Er beginnt, sich die Hände zu reiben, betrachtet sie und steckt sie dann in die Taschen.*

JOHANNA: Erlaube mir, daran zu zweifeln.

DER VATER: Und warum?

JOHANNA: Weil unsere Interessen auseinandergehen. Ich hoffe darauf, daß Franz wieder ein normales Leben führt.

DER VATER: Das hoffe ich auch.

JOHANNA: Du? Wenn er die Nase herausstreckt, wird ihn die Polizei verhaften, und die Familie ist entehrt.

DER VATER *lächelnd:* Ich glaube, du hast keine rechte Vorstellung von meiner Macht. Mein Sohn braucht sich nur die Mühe zu machen, herunterzukommen, alles andere werde ich sofort in Ordnung bringen.

JOHANNA: Das wäre genau das, womit du ihn wieder in sein Zimmer jagen würdest, in das er sich dann für immer einschlösse.
Der Vater hat den Kopf gesenkt und betrachtet den Teppich.

DER VATER *mit gedämpfter Stimme:* Die Chancen stehen eins zu zehn, daß er dir öffnet, eins zu hundert, daß er dich anhört, und eins zu tausend, daß er dir antwortet. Wenn du es auf dieses Tausendstel einer Chance ankommen lassen solltest . . .

JOHANNA: Was ist dann?

DER VATER: Wärst du bereit, ihm zu sagen, daß ich bald sterben werde?

JOHANNA: Hat Leni nicht . . .?

DER VATER: Nein. *Er hat den Kopf wieder erhoben. Johanna sieht ihn starr an.*

JOHANNA: Das also war es? *Sie sieht ihn noch immer an.* Du lügst bestimmt nicht. *Pause.* Die Chancen stehen eins zu tausend. *Ein Schüttelfrost erfaßt sie, sie hat sich aber sofort wieder in der Gewalt.* Soll ich ihn auch fragen, ob er dich empfangen will?

DER VATER *lebhaft erschreckt:* Nein, nein! Eine Mitteilung, nichts weiter: der Alte wird bald sterben. Ohne Kommentar! Versprich mir das!

JOHANNA *lächelnd:* Ich schwöre es auf die Bibel.

DER VATER: Danke. *Sie sieht ihn noch immer an. Zwischen den Zähnen, wie, um ihr seine Haltung zu erklären, aber mit gedämpfter Stimme, so daß es scheint, als spreche er nur mit sich selbst.* Ich möchte ihm so gern helfen. Versuch es heute nicht mehr. Leni wird ihn spät verlassen, und er wird zweifellos müde sein.

JOHANNA: Morgen also?

DER VATER: Ja. So am frühen Nachmittag.

JOHANNA: Und wo finde ich dich, wenn ich dich brauche . . .

DER VATER: Du wirst mich nirgends finden. *Pause.* Ich fahre nach Essen. *Pause.* Wenn dir die Sache nun mißglückt . . . *Er macht eine Geste.* In einigen Tagen bin ich wieder zurück. Wenn du gewonnen oder verloren hast.

JOHANNA *beunruhigt:* Du willst mich allein lassen? *Sie faßt sich wieder.* Warum auch nicht? *Pause.* Dann wünsche ich dir also eine gute Reise und bitte dich, mir nichts zu wünschen.

DER VATER: Warte! *Mit entschuldigendem Lächeln, aber doch bedeutungsvoll.* Ich fürchte, ich errege deine Ungeduld, mein Kind, aber ich möchte dir noch einmal sagen, du mußt schön sein.

JOHANNA: Auch das noch!

DER VATER: Seit dreizehn Jahren hat Franz jetzt niemanden gesehen. Keine Menschenseele.

JOHANNA *die Achseln zuckend:* Außer Leni.

DER VATER: Leni ist keine «Seele». Und ich frage mich, ob er sie überhaupt sieht. *Pause.* Er wird die Tür öffnen, und was geschieht dann? Wenn er nun Angst vor dir hat? Wenn er sich dann für immer in die Einsamkeit vergräbt?

JOHANNA: Was wäre damit geändert, wenn ich mir das Gesicht anmalte?

DER VATER *sanft:* Früher liebte er die Schönheit.

JOHANNA: Was konnte er schon damit anfangen, dieser Sohn eines Industriellen?

DER VATER: Das wird er dir morgen sagen.

JOHANNA: Nicht das geringste. *Pause.* Ich bin nicht schön. Ist das klar?

DER VATER: Wenn du es nicht bist, wer soll es dann sein?

JOHANNA: Niemand: es gibt nur häßliche Menschen, die sich verkleidet haben. Ich werde mich nicht mehr verkleiden.

DER VATER: Nicht einmal für Werner?

JOHANNA: Nicht einmal für Werner. Merk' dir das gut. *Pause.* Begreifst du, was Worte bedeuten können? Man hat eine aus mir gemacht ... eine Schönheit. Für jeden Film eine neue Schönheit. *Pause.* Entschuldige bitte – aber das ist eine Marotte von mir. Wenn man daran rührt, verliere ich den Verstand.

DER VATER: Ich muß mich bei dir entschuldigen, mein Kind.

JOHANNA: Schon gut! Du konntest es ja nicht wissen. Oder vielleicht hast du es doch gewußt. Aber das ist ja unwichtig. *Pause.* Ich bin einmal ganz hübsch gewesen, nehme ich an. Man kam und sagte mir, ich sei schön – und ich habe es geglaubt. Wußte ich überhaupt, wozu ich auf der Welt war? Es ist doch wohl nötig, seinem Leben einen Sinn zu geben. Schlimm war nur, daß sie sich geirrt hatten. *Plötzlich.* Schiffe? Können die dem Leben einen Sinn geben?

DER VATER: Nein.

JOHANNA: Das habe ich vermutet. *Pause.* Franz muß mich eben nehmen, wie ich bin. Mit diesem Kleid und mit diesem Gesicht. Irgendeine Frau, das ist immer gut genug für irgendeinen Mann. *Pause. Über ihnen beginnt Franz, im Zimmer auf und ab zu gehen. Die Schritte sind unregelmäßig, bald langsam und ungleich, bald schnell und rhythmisch, bald ein Auf-der-Stelle-Treten. – Johanna sieht den Vater voller Unruhe an, als wollte sie fragen: «Ist das Franz?»*

DER VATER *diesen Blick beantwortend:* Ja.

JOHANNA: Und du bleibst ganze Nächte hier ...

DER VATER *leichenblaß und verkrampft:* Ja.

JOHANNA: Ich gebe die Partie verloren.

DER VATER: Du glaubst wirklich, er ist verrückt?

JOHANNA: Völlig verrückt.

DER VATER: Das hat nichts mit Verrücktheit zu tun.

JOHANNA *die Achseln zuckend:* Sondern?

DER VATER: Mit seinem Unglück.

JOHANNA: Wer kann unglücklicher sein als ein Verrückter?

DER VATER: Er.

JOHANNA *brutal:* Ich werde nicht zu Franz gehen.

DER VATER: Doch! Und zwar morgen, am frühen Nachmittag. *Pause.* Wir haben keine andere Wahl, weder du noch er noch ich.

JOHANNA *mit dem Blick zur Treppe, langsam:* Ich werde diese Treppe hinaufgehen, an die Tür klopfen ... *Pause. Die Schritte haben aufgehört.* Gut, ich werde mich schönmachen. Um mich zu schützen ... *Der Vater lächelt ihr zu und reibt sich dabei die Hände.*

ENDE DES ERSTEN AKTES

ZWEITER AKT

Das Zimmer von Franz. Eine Tür links in einer Vertiefung. Sie führt zum Treppenabsatz. Ein Riegel. Eine Eisenstange. Zwei Türen im Hintergrund auf beiden Seiten des Bettes: die eine führt ins Badezimmer, die andere in die Toilette. Ein außergewöhnlich großes Bett ohne Matratze und ohne Laken: auf der Sprungfedermatratze liegt nur eine Decke. An der rechten Wand steht ein Tisch. Ein einziger Stuhl. Links ein wirrer Haufen zerbrochener Möbel und beschädigter Nippsachen: dieser Trümmerhaufen ist alles, was von der Einrichtung übriggeblieben ist. An der Wand im Hintergrund rechts über dem Bett ein großes Hitlerbild. Rechts außerdem Regale. Auf den Regalen Spulen mit Tonbändern. An den Wänden Schilder — der Text in Druckschrift, deren Buchstaben jedoch mit der Hand geschrieben sind — mit der Inschrift «Don't disturb» und «Angst haben verboten!» Auf dem Tisch Austern, Sektflaschen, Sektgläser, ein Lineal usw. Schimmel an den Wänden und an der Decke.

1. SZENE

Franz, Leni

Franz trägt eine zerrissene Wehrmachtsuniform. An manchen Stellen ist durch die Löcher im Tuch die Haut zu sehen. Er sitzt am Tisch und dreht Leni und zu drei Vierteln auch dem Publikum den Rücken zu. Auf dem Tisch Austern und Sektflaschen. Unter dem Tisch, unsichtbar, ein Tonbandgerät.
Leni kehrt, mit dem Gesicht zum Publikum, eine weiße Schürze über dem Kleid, das Zimmer aus. Während Franz mit ihr spricht, arbeitet sie ruhig, ohne Übereifer und ohne Hast, wie eine gute Hausfrau, mit völlig ausdruckslosem Gesicht, fast als schliefe sie dabei ein. Von Zeit zu Zeit wirft sie Franz einen kurzen Blick zu. Man fühlt, daß sie ihn beobachtet und daß sie nur auf das Ende seiner Rede wartet.

FRANZ: Maskierte Bewohner der Zimmerdecke, Achtung! Maskierte Bewohner der Zimmerdecke, Achtung! Man belügt euch. Zwei Milliarden falsche Zeugen! Zwei Milliarden falsche Zeugenaussagen in der Sekunde! Hört die Klagen der Menschen an: «Wir sind verraten – von unseren Taten, unseren Worten und unserem Hundeleben!» Zehnfüßler, ich bezeuge, daß sie nicht dachten, was sie sagten, und nicht taten, was sie tun wollten. Wir plädieren «Nicht schuldig». Und verurteilt vor allem nicht auf Geständnisse hin, selbst wenn sie unterschrieben sind: Man sagte damals: «Der Angeklagte hat gestanden, also ist er unschuldig.» Verehrte Zuhörer! Mein Jahrhundert war ein großer Ausverkauf: die Ausrottung der menschlichen Spezies war an höchster Stelle beschlossen worden. Mit Deutschland hat man angefangen. Noblesse oblige: Und dieser Teil des Planeten ist gesäubert. Bis auf die Knochen. *Er schenkt sich ein.* Ein einziger sagt die Wahrheit: der zerschmetterte Titan, der okulare, säkulare, reguläre, säkularisierte Zeuge, in saecula saeculorum: ich. Der Mensch ist tot, und ich bin sein Zeuge. Jahrhunderte, ich werde euch eine Kostprobe meines Jahrhunderts zu schmecken geben, ihr werdet die Angeklagten freisprechen. Auf die Fakten pfeife ich: ich überlasse sie den falschen Zeugen. – Ich überlasse ihnen die zufälligen Anlässe und die tieferen Gründe. Aber da war dieser Geschmack. Wir haben den Mund noch reichlich voll davon. *Er trinkt.* Und wir trinken, um ihn herunterzuspülen. *Träumerisch.* Das war ein eigenartiger Geschmack, was? *Er erhebt sich plötzlich, mit Schrekken.* Ich komme noch darauf zurück.

LENI *in der Annahme, daß er seine Rede beendet hat:* Franz, ich habe mit dir zu reden.

FRANZ *schreit:* Schweige in Gegenwart der Krabben!

LENI *mit natürlicher Stimme:* Hör mich bitte an; es ist wichtig.

FRANZ *zu den Krabben:* Ihr habt euch in der Schale versteckt? Bravo! Adieu, Nacktheit! Aber warum nicht auch die Augen verstecken? Sie sind das Häßlichste, was wir haben. Hm? Warum? *Er tut so, als ob er auf etwas wartet. Man hört ein metallisches Geräusch. Er fährt erschreckt auf. Mit veränderter Stimme, trokken, schnell, wie versteinert:* Was ist das? *Er wendet sich Leni zu und betrachtet sie mißtrauisch und streng.*

LENI *ruhig:* Das Tonband. *Sie bückt sich, nimmt das Tonbandgerät und stellt es auf den Tisch.* Zu Ende. *Sie drückt auf einen Knopf, das Tonband läuft wieder zurück: die Rede von Franz läuft unverständlich schnell rückwärts ab.* Jetzt wirst du mich aber anhören. *Franz läßt sich auf den Stuhl fallen und hält die Hand krampfhaft auf die Brust. Leni unterbricht sich: wie sie sich ihm zuwendet, sieht sie, daß er sich verkrampft hat und zu leiden scheint. Ungerührt.* Fehlt dir was?

FRANZ: Was soll mir schon fehlen?

LENI: Das Herz?

FRANZ *schmerzlich:* Es klopft!

LENI: Was willst du, du Meistersinger? Ein anderes Band?

FRANZ *plötzlich ganz ruhig:* Auf keinen Fall! *Er richtet sich wieder auf und fängt an zu lachen.* Ich bin gestorben. An Erschöpfung, Leni; an Erschöpfung gestorben. Nimm sie weg! *Sie will die Spule abnehmen.* Warte! Ich will mich hören.

LENI: Von Anfang an?

FRANZ: Es ist mir gleich, wo du anfängst. *Leni stellt den Apparat an. Man hört Franz sagen: «Ein einziger sagt die Wahrheit . . .» usw. Franz hört einen Augenblick zu, sein Gesicht verkrampft sich. Er spricht gegen die Bandaufnahme an.* Das habe ich gar nicht sagen wollen. Wer spricht denn da? Daran ist kein wahres Wort. *Er hört weiter zu.* Ich kann diese Stimme nicht mehr ertragen. Sie ist tot. Zum Teufel! Halt das Band an! Halt das Band doch an, du machst mich verrückt . . .! *Leni hält, ohne sich dabei übermäßig zu beeilen, das Band an und dreht die Spule wieder zurück. Sie schreibt eine Nummer auf die Spule und ordnet sie bei den anderen ein. Franz betrachtet sie, er macht einen entmutigten Eindruck.* Gut. Wir müssen mit allem wieder von vorn anfangen.

LENI: Wie üblich.

FRANZ: Nein: ich mache Fortschritte. Eines Tages werden mir die Worte von selbst kommen, und ich werde sagen, was ich will. Und dann ist Ruhe! *Pause.* Glaubst du, daß es das gibt?

LENI: Was?

FRANZ: Ruhe?

LENI: Nein.

FRANZ: Das glaube ich auch. *Kurzes Schweigen.*

LENI: Willst du mich jetzt anhören?

FRANZ: Na!

LENI: Ich habe Angst!

FRANZ *fährt erschrocken auf:* Angst? *Er sieht sie unruhig an.* Du hast «Angst» gesagt?

LENI: Ja.

FRANZ *brutal:* Dann geh! *Er nimmt ein Lineal vom Tisch und tippt mit der Spitze des Lineals auf das Schild, auf dem die Worte «Angst haben verboten!» stehen.*

LENI: Gut. Ich habe keine Angst mehr. *Pause.* Hör mich jetzt bitte an.

FRANZ: Das tue ich. Du schreist mir ja die Ohren voll. *Pause.* Nun?

LENI: Ich weiß nicht genau, was sich da anbahnt, aber . . .
FRANZ: Was bahnt sich an? Wo? In Washington? In Moskau?
LENI: Unter deinen Fußsohlen.
FRANZ: Im Erdgeschoß? *Mit plötzlicher Hellsichtigkeit.* Vater wird sterben!
LENI: Wer spricht von Vater? Er wird uns noch alle überleben.
FRANZ: Um so besser.
LENI: Um so besser?
FRANZ: Um so besser, um so schlimmer – ich pfeife drauf. Also, worum handelt es sich dann?
LENI: Du bist in Gefahr.
FRANZ *mit Überzeugung:* Ja. Nach meinem Tode! Wenn die Jahrhunderte meine Spur verlieren, schnappt mich der Schnaps. Und wer wird den M e n s c h e n retten, Leni?
LENI: Rette ihn, wer will. Franz, du bist in Gefahr, seit gestern, dein Leben ist bedroht.
FRANZ *gleichgültig:* Nun gut – dann verteidige mich: das ist d e i n e Angelegenheit.
LENI: Ja – wenn du mir hilfst.
FRANZ: Keine Zeit. *Gutgelaunt.* Ich schreibe eine Weltgeschichte – und du kommst und störst mich mit Anekdoten.
LENI: Es wäre also eine Anekdote, wenn sie dich umbringen.
FRANZ: Ja.
LENI: Auch, wenn sie dich zu früh umbringen?
FRANZ *die Stirn runzelnd:* Zu früh? *Pause.* Wer will mich umbringen?
LENI: Die Besatzungsmächte.
FRANZ: Ach so. *Pause.* Sie bringen meine Stimme zum Schweigen und täuschen das dreißigste Jahrhundert mit gefälschten Dokumenten. *Pause.* Sie haben jemanden im Haus?
LENI: Ich glaube.
FRANZ: Wen?
LENI: Ich weiß noch nicht. Ich glaube – Werners Frau.
FRANZ: Die Bucklige?
LENI: Ja. Sie schnüffelt überall herum.
FRANZ: Gib ihr Rattengift.
LENI: Sie ist mißtrauisch.
FRANZ: Wie lästig. *Unruhig.* Ich brauche noch zehn Jahre.
LENI: Gib mir noch zehn Minuten.
FRANZ: Du langweilst mich. *Er geht zur Wand im Hintergrund und fährt mit dem Finger über die Spulen, die auf dem Regal liegen.*

LENI: Wenn man sie dir nun stiehlt?

FRANZ *macht plötzlich kehrt:* Wen?

LENI: Die Bänder.

FRANZ: Du verlierst den Kopf.

LENI *trocken:* Stell dir vor, sie kommen in meiner Abwesenheit – oder vielmehr: nachdem sie mich beseitigt haben.

FRANZ: Na und? Ich werde nicht aufmachen. *Belustigt.* Und dich wollen sie auch beseitigen?

LENI: Sie erwägen es. Was würdest du ohne mich anfangen? *Franz antwortet nicht.* Du würdest verhungern.

FRANZ: Keine Zeit zum Verhungern. Ich werde sterben, das ist alles. I c h spreche. Den Tod wird mein Körper auf sich nehmen: ich werde es nicht einmal bemerken; ich werde weitersprechen. *Schweigen.* Das hat den Vorteil, daß du mir nicht die Augen schließen kannst. Sie brechen die Tür auf, und was finden sie? Die Leiche des gemordeten Deutschland. *Er lacht.* Ich werde stinken wie Gewissensbisse.

LENI: Sie werden überhaupt nichts aufbrechen. Sie werden an die Tür klopfen, du wirst noch leben, und du wirst ihnen aufmachen.

FRANZ *mit belustigtem Erstaunen:* Ich?

LENI: Ja – du. *Pause.* Sie kennen das Zeichen.

FRANZ: Sie können es nicht kennen.

LENI: Seit sie mir nachspionieren, kannst du sicher sein, daß sie es kennen. Bei Vater zum Beispiel bin ich ganz sicher, daß er es kennt.

FRANZ: Ach! *Schweigen.* Er ist mit im Komplott?

LENI: Wer weiß? *Pause.* Ich sage dir: du wirst ihnen aufmachen.

FRANZ: Und dann?

LENI: Sie werden dir die Bänder wegnehmen. *Franz öffnet eine Schublade des Tisches, nimmt einen Dienstrevolver heraus und zeigt ihn Leni lächelnd.*

FRANZ: Ist das nichts?

LENI: Sie werden sie nicht mit Gewalt nehmen. Sie werden so lange auf dich einreden, bis du sie ihnen freiwillig gibst. *Franz bricht in Lachen aus.* Franz, ich bitte dich, laß uns das Zeichen ändern. *Franz hört auf zu lachen. Er blickt sie mit duckmäuserischem und gehetztem Gesichtsausdruck an.* Also?

FRANZ: Nein. *Während er spricht, erfindet er die Gründe für seine Ablehnung.* Alles hat seinen Zusammenhang. Die Weltgeschichte ist ein heiliger Spruch, wenn du auch nur ein Komma veränderst, bleibt nichts mehr von ihr übrig.

LENI: Zugegeben. Rühren wir also nicht an die Weltgeschichte. Du wirst ihnen die Bänder schenken. Und das Bandgerät als Zugabe.

Franz geht zu den Bändern und betrachtet sie mit gehetztem Ausdruck.

FRANZ *zuerst zögernd und innerlich zerrissen:* Die Bänder ... Die Bänder. *Pause. Er überlegt, dann fegt er sie mit einer plötzlichen Bewegung des linken Armes vom Regal herunter, so daß sie auf die Erde fallen.* Das mache ich mit ihnen! *Er spricht in exaltierter Weise, wie wenn er Leni ein wichtiges Geheimnis anvertraut hätte. In Wahrheit aber erfindet er erst jetzt, was er sagen soll.* Das war nur eine Vorsichtsmaßnahme, mußt du wissen. Falls das dreißigste Jahrhundert die Glasscheibe nicht entdecken sollte!

LENI: Eine Glasscheibe? Das ist neu. Davon hast du mir nie erzählt.

FRANZ: Ich erzähle nicht alles, Schwesterchen. *Er reibt sich erfreut die Hände, wie der Vater im ersten Bild.* Stell dir eine schwarze Glasscheibe vor. Feiner als Äther. Überempfindlich. Ein Hauch würde sich einritzen. Der kleinste Hauch. Die ganze Weltgeschichte ist dort eingraviert, von Anbeginn der Zeit bis zu diesem Schnalzen. *Er schnalzt mit den Fingern.*

LENI: Und wo ist sie?

FRANZ: Die Glasscheibe? Überall. Hier. Sie ist die Kehrseite des Tages. Sie werden Apparate erfinden, um sie zum Schwingen zu bringen; alles wird wiedererstehen. Hm, was? *In einer plötzlichen Halluzination.* Alle unsere Taten. *Seine Stimme nimmt wieder ihren brutalen und fanatischen Ton an.* Das reinste Kino, sage ich dir: die Krabben in der Runde begaffen das brennende Rom und den tanzenden Nero. *Zu dem Photo von Hitler.* Auch dich werden sie sehen, Väterchen. Du hast doch auch getanzt, nicht wahr? Du hast auch getanzt. *Er gibt den Spulen einen Tritt.* Ins Feuer! Ins Feuer! Was habe ich noch damit zu schaffen? Schaffe mir das Zeug vom Hals! *Plötzlich:* Was hast du am 6. Dezember 1944 um 20 Uhr 30 gemacht? *Leni zuckt die Achseln.* Du weißt es nicht mehr? Sie wissen es: vor ihnen liegt dein Leben wie ein offenes Buch. Leni, ich entdecke eine schreckliche Wahrheit: wir leben unter ständiger Bewachung.

LENI: Wir?

FRANZ *ins Publikum:* Du, ich, alle diese Toten: die Menschen. *Er lacht.* Halte dich gerade! Man sieht dich an. *Düster, zu sich selbst.* Niemand ist allein. *Leni lacht trocken.* Beeile dich mit deinem Lachen, arme Leni. Das dreißigste Jahrhundert wird kommen wie ein Dieb. Ein Schalthebel dreht sich, die Nacht vibriert; du wirst mitten unter ihnen in die Luft gehen.

LENI: Lebend?

FRANZ: Tot seit tausend Jahren.

LENI *unbeteiligt:* Pffff!

FRANZ: Tot oder wieder auferstanden: die Glasscheibe wird alles wiedergeben, selbst unsere Gedanken. Hm, was? *Pause. Mit einer Unruhe, von der man nicht weiß, ob sie aufrichtig oder gespielt ist.* Und wenn wir schon mitten drin wären?

LENI: Worin?

FRANZ: Im dreißigsten Jahrhundert. Bist du sicher, daß dieses Theater zum erstenmal gespielt wird? Sind wir am Leben oder wieder auferstanden? *Er lacht.* Halte dich gerade. Wenn die Zehnfüßler uns ansehen, finden sie uns bestimmt sehr häßlich.

LENI: Wieso weißt du das?

FRANZ: Die Krabben lieben nur Krabben: das ist doch ganz natürlich.

LENI: Und wenn es Menschen wären?

FRANZ: Im dreißigsten Jahrhundert? Wenn dann noch ein Mensch übriggeblieben ist, wird man ihn in einem Museum konservieren . . . Meinst du wirklich, daß sie unser Nervensystem haben werden?

LENI: Und so werden dann Krabben aus ihnen?

FRANZ *trocken:* Ja. *Pause.* Sie werden andere Körper haben und daher auch andere Gedanken. Welche, hm? Welche . . . Kannst du die Bedeutung und die ungeheure Schwierigkeit meiner Aufgabe ermessen? Ich verteidige euch vor einem Gerichtshof, den ich nicht einmal kenne. Blindenarbeit: man läßt ein Wort fallen, zum Urteil; es fällt im Sturz von Jahrhundert zu Jahrhundert. Was wird es da oben bedeuten? Weißt du, daß ich manchmal unvermutet weiß sage, obwohl ich möchte, daß sie schwarz verstehen? *Er sinkt plötzlich auf dem Stuhl zusammen.* Großer Gott!

LENI: Was ist nun schon wieder?

FRANZ *entsetzt:* Die Glasscheibe!

LENI: Na und?

FRANZ: Alles wird live aufgenommen, im Augenblick. Wir müssen uns ständig kontrollieren. Diese Glasscheibe hatte mir gerade noch gefehlt! *Heftig.* Erklären! Rechtfertigen! Keinen Augenblick Ruhe! Männer, Frauen, gehetzte Henker, unbarmherzige Opfer, ich bin euer Märtyrer.

LENI: Wenn sie alles sehen, wozu brauchen sie dann deine Kommentare?

FRANZ *lacht:* Ha! Es sind doch Krabben, Leni: sie verstehen nichts. *Er wischt sich mit dem Taschentuch die Stirn, sieht auf das Taschentuch und wirft es mit Abscheu auf den Tisch.* Salziges Wasser.

LENI: Was hattest du erwartet?

FRANZ *zuckt die Achseln:* Blutigen Schweiß. Ich habe ihn verdient. *Er erhebt sich, lebhaft und mit gespielter Fröhlichkeit.* Du stehst unter meinem Befehl, Leni! Ich brauche dich für eine live-Aufnahme! Eine Stimmprobe. Sprich laut und deutlich. *Sehr laut.* Bezeuge vor diesem hohen Gerichtshof, daß die Kreuzritter der Demokratie uns nicht gestatten wollen, die Mauern unserer Häuser wieder aufzurichten. *Leni schweigt gereizt.* Los! Wenn du mir gehorchst, werde ich dich anhören.

LENI *zur Decke:* Ich bezeuge also, daß alles einstürzt.

FRANZ: Lauter!

LENI: Alles stürzt ein.

FRANZ: Was bleibt von München?

LENI: Ein paar Ziegelsteine.

FRANZ: Und Hamburg?

LENI: Das ist Niemandsland.

FRANZ: Und wo sind die letzten Deutschen?

LENI: In den Kellern.

FRANZ *zur Decke:* He, ihr da, begreift ihr das? Nach dreizehn Jahren? Gras bedeckt die Straßen, unsere Maschinen sind unter Geißblatt begraben. *Er tut so, als ob er zuhört.*
Vergeltung? Was für eine Lüge! Keine Konkurrenz mehr in Europa – das ist das Prinzip und die Doktrin. Sag, was ist von unserem Unternehmen übriggeblieben?

LENI: Zwei Helligen.

FRANZ: Zwei! Vor dem Kriege – hatten wir hundert! *Er reibt sich die Hände. Zu Leni in natürlichem Ton.* Genug für heute. Die Stimme ist schwach, aber wenn du mehr Nachdruck gibst, kann es gehen. *Pause.* Jetzt sprich! Nun? *Pause.* Will man mich von der Moral her angreifen?

LENI: Ja.

FRANZ: Spiegelfechterei: die Moral ist aus Stahl.

LENI: Armer Franz! Er wird aus dir machen, was er will.

FRANZ: Wer?

LENI: Der Agent der Besatzungsmacht.

FRANZ: Ha! Ha!

LENI: Er wird anklopfen, du wirst aufmachen, und weißt du, was er dir sagen wird?

FRANZ: Ich pfeife darauf.

LENI: Er wird dir sagen: du hältst dich für einen Zeugen und bist in Wahrheit der Angeklagte. *Kurzes Schweigen.* Was wirst du ihm antworten?

FRANZ: Ich werfe dich hinaus! Du bist bestochen. Du willst mich also demoralisieren.

LENI: Was wirst du antworten, Franz? Was wirst du antworten? Seit zwölf Jahren wirfst du dich nun schon vor diesem zukünftigen Gerichtshof zu Boden und erkennst ihm alle Rechte zu. Warum nicht auch das Recht, dich zu verurteilen?

FRANZ *schreit:* Weil ich Entlastungszeuge bin!

LENI: Wer hat dich dazu bestimmt?

FRANZ: Die Geschichte.

LENI: Nicht wahr, es ist schon vorgekommen, daß ein Mensch sich von der Geschichte ausersehen glaubte – und dann war es der Nachbar, den sie rief.

FRANZ: Das wird mir nicht passieren. Ihr werdet alle freigesprochen. Sogar du: das wird meine Rache sein. Ich werde die Geschichte durch ein Mauseloch jagen! *Er unterbricht sich, unruhig.* Psst! Sie sind am Empfangsgerät. Du drängst mich, du drängst mich, und schließlich lasse ich mich hinreißen. *Zur Decke.* Entschuldigen Sie, verehrte Hörer: die Worte haben meine Gedanken verraten.

LENI *heftig und ironisch:* Das ist er, der Mann mit der ehernen Moral! *Geringschätzig.* Du verbringst deine Zeit damit, dich zu entschuldigen.

FRANZ: Ich wollte dich an meiner Stelle sehen. Heute abend werden sie mit den Zähnen knirschen.

LENI: Krabben? Die knirschen mit den Zähnen?

FRANZ: Diese schon. Das ist sehr unangenehm. *Zur Decke.* Verehrte Hörer, würden Sie bitte meine Berichtigung zur Kenntnis nehmen . . .

LENI *in einem Ausbruch:* Genug! Genug! Jag sie doch zum Teufel!

FRANZ: Verlierst du den Verstand?

LENI: Weise ihren Hohen Gerichtshof zurück, bitte, er ist dein einziger schwacher Punkt. Sag ihnen: «Ihr seid nicht meine Richter!» Und du wirst niemand mehr zu fürchten haben. Weder in dieser Welt noch in jener.

FRANZ *heftig:* Verschwinde. *Er nimmt zwei Muscheln und reibt sie gegeneinander.*

LENI: Ich bin noch nicht mit dem Haushalt fertig.

FRANZ: Sehr gut: dann gehe ich inzwischen ins dreißigste hinauf. *Er erhebt sich, wobei er Leni weiter den Rücken zukehrt, und dreht ein Schild, das die Aufschrift «Don't disturb!» trägt, um. Jetzt liest man auf der Rückseite «Bis morgen mittag abwesend». Dann setzt er sich wieder und beginnt, die Muscheln wieder gegeneinander zu reiben.* Du siehst mich dauernd an: mir wird ganz heiß im Nacken. Ich verbiete dir, mich dauernd anzustarren. Wenn du bleibst, dann beschäftige dich. *Leni rührt sich nicht.*

LENI: Ich werde, wenn du mit mir sprichst.

FRANZ: Du machst mich noch verrückt! Verrückt! Verrückt!

LENI *lacht kurz, ohne wirklich fröhlich zu sein:* Das möchtest du gerne!

FRANZ: Du willst mich also ansehen! Dann sieh mich an! *Er erhebt sich und ahmt den Paradeschritt nach:* Eins, zwei! Eins, zwei!

LENI: Hör auf!

FRANZ: Eins, zwei! Eins, zwei!

LENI: Hör auf, ich bitte dich!

FRANZ: Was, meine Schöne, hast du Angst vor einem Soldaten?

LENI: Ich habe Angst, dich zu verachten. *Sie macht ihre Schürze auf, wirft sie aufs Bett und macht Anstalten zu gehen. Franz bleibt stehen.*

FRANZ: Leni! *Sie ist an der Tür angelangt. Mit ratloser Zärtlichkeit.* Laß mich bitte nicht allein.

LENI *kommt zurück, leidenschaftlich:* Du willst, daß ich bleibe?

FRANZ *im gleichen Ton:* Ich brauche dich, Leni. *Leni geht mit fassungslosem Gesicht auf ihn zu.*

LENI: Liebster! *Sie ist jetzt bei ihm, erhebt zögernd eine Hand und fährt ihm zärtlich über das Gesicht.*

FRANZ *läßt sie einen Augenblick gewähren und springt dann zurück:* Auf Abstand! Respektvollen Abstand! Und vor allem keine Emotionen!

LENI *lächelnd:* Puritaner!

FRANZ: Puritaner! *Pause.* Glaubst du? *Er nähert sich ihr wieder und streicht ihr mit der Hand zärtlich über Schultern und Hals. Sie läßt es sich gefallen, verwirrt.* Puritaner verstehen sich nicht auf Zärtlichkeiten. *Er fährt ihr zärtlich über die Brust, sie erschauert und schließt die Augen.* Aber ich. *Sie lehnt sich an ihn. Er löst sich unvermittelt.* Geh weg! Du ekelst mich an.

LENI *geht einen Schritt zurück. Mit eisiger Ruhe:* Das war nicht immer so!

FRANZ: Immer! Immer! Vom ersten Tage an!

LENI: Geh auf die Knie! Warum zögerst du, die anderen um Vergebung zu bitten!

FRANZ: Vergebung wofür? Es ist nichts geschehen!

LENI: Und gestern?

FRANZ: Nichts, sage ich dir! Überhaupt nichts!

LENI: Nichts, außer einem Inzest.

FRANZ: Immer übertreibst du!

LENI: Bist du etwa nicht mein Bruder?
FRANZ: Aber ja, aber ja.
LENI: Hast du etwa nicht mit mir geschlafen?
FRANZ: Doch, ein bißchen.
LENI: Selbst wenn du es nur einmal getan hättest ... Fürchtest du dich so vor Worten?
FRANZ *zuckt die Achseln:* Worte! *Pause.* Wenn man ein Wort finden müßte für jede Drangsal dieses Kadavers! *Er lacht.* Willst du behaupten, daß ich richtig mit dir schlafe? Oh! Schwesterchen! Du bist da, ich schließe dich in meine Arme, Spezies schläft mit Spezies – wie sie es jede Nacht auf dieser Welt milliardenmal tut. *Zur Decke.* Aber ich möchte feststellen, daß Franz, der älteste Sohn der Gerlachs, niemals Leni, seine jüngere Schwester, begehrt hat.
LENI: Feigling! *Zur Decke.* Maskierte Bewohner der Zimmerdecke: der Zeuge des Jahrhunderts ist ein falscher Zeuge. Ich, Leni, seine blutschänderische Schwester, ich liebe meinen Bruder von ganzem Herzen, und ich liebe ihn, weil er mein Bruder ist. So wenig ihr auch nur eine Spur von Familiengefühl besitzt, so sicher werdet ihr uns rückhaltlos verdammen, aber ich pfeife darauf. *Zu Franz.* Du Armer. So muß man mit ihnen sprechen. *Zu den Krabben.* Er begehrt mich, ohne mich zu lieben. Er geht ein vor Scham, aber im Dunkeln schläft er mit mir ... Nun? Ich habe gewonnen. Ich wollte ihn – und ich habe ihn.
FRANZ *zu den Krabben:* Sie ist verrückt. *Er zwinkert ihnen mit den Augen zu.* Ich werde es euch erklären. Wenn wir allein sind.
LENI: Das verbiete ich dir! Ich werde sterben, ich bin schon gestorben, und ich verbiete dir, meine Sache vor Gericht zu verteidigen. Ich habe nur einen Richter: mich selbst. Und ich spreche mich frei. Entlastungszeuge, gib Zeugnis vor dir selber. Du wirst unverwundbar sein, wenn du den Mut hast, offen zu bekennen: «Ich habe getan, was ich tun wollte, und ich will, was ich getan habe.»
FRANZ *sein Gesicht versteinert sich plötzlich, er macht einen kalten, feindseligen und drohenden Eindruck. Mit harter und mißtrauischer Stimme:* Was habe ich getan, Leni?
LENI *mit einem Aufschrei:* Aber Franz! Wenn du dich deiner Haut nicht wehrst, werden sie dir das Fell über die Ohren ziehen.
FRANZ: Leni, was habe ich denn getan?
LENI *unruhig und zurückgehend:* Nun ... ich habe es dir doch schon gesagt ...
FRANZ: Der Inzest? Nein, Leni, es ist nicht der Inzest, von dem du sprichst. *Pause.* Was habe ich getan? *Langes Schweigen. Sie sehen sich an. Leni wendet ihren Blick zuerst ab.*

LENI: Gut. Ich habe verloren: vergiß es! Ich werde dich auch ohne deine Hilfe zu schützen wissen: ich bin es ja gewohnt.

FRANZ: Geh! *Pause.* Wenn du nicht gehorchst, trete ich in Redestreik. Du weißt, daß ich zwei Monate durchhalten kann.

LENI: Ich weiß. *Pause.* Ich kann es nicht. *Sie geht zur Tür, hebt die Eisenstange hoch und schiebt den Riegel zurück.* Heute abend bringe ich dir das Essen.

FRANZ: Überflüssig, ich mache nicht auf.

LENI: Das ist deine Sache. Meine Sache ist, es dir zu bringen. *Er antwortet nicht. Im Hinausgehen zu den Krabben:* Für den Fall, daß er nicht öffnet: Gute Nacht, meine Schönen! *Sie schließt die Tür hinter sich.*

2. SZENE

Franz allein

Er dreht sich um, wartet einen Augenblick, läßt dann die Eisenstange herunter und macht den Riegel wieder vor. Während dieser Handlung bleibt sein Gesicht verkrampft. Sobald er sich in Sicherheit weiß, entspannt es sich. Er macht zwar einen beruhigten, ja fast gutmütigen Eindruck: doch von diesem Augenblick an scheint er noch verrückter zu sein. – Während der ganzen Szene redet er mit den Krabben. Es ist kein Monolog, sondern ein Dialog mit unsichtbaren Partnern.

FRANZ: Eine verdächtige Zeugin. Nur in meiner Gegenwart und nach meinen Anweisungen zu befragen. *Pause. Er macht einen beruhigten, müden, zu sanften Eindruck.* He? Eine anstrengende Person? Dafür – ja. Ja. Ja. Ja. Ziemlich anstrengend. Aber welches Feuer! *Er gähnt.* Ihre Hauptaufgabe ist es, mich wachzuhalten. *Er gähnt wieder.* Seit zwanzig Jahren herrscht jetzt Mitternacht in unserem Jahrhundert: es ist nicht sehr bequem, die Augen um Mitternacht aufzuhalten. – Nein. Nein: nur Schläfrigkeit. Sie überkommt mich einfach, wenn ich allein bin. *Seine Schläfrigkeit nimmt zu.* Ich hätte sie nicht wegschicken sollen. *Er taumelt, richtet sich plötzlich wieder auf und geht in militärischem Schritt zum Tisch. – Er nimmt einige Muscheln und bombardiert das Hitlerbild mit ihnen. Dabei schreit er:* Sieg Heil! Sieg Heil! Sieg Heil! *Er schlägt die Hacken zusammen und steht still.* Mein Führer! Ich bin Soldat. Wenn ich einschlafe, ist das ein schweres militärisches Vergehen – sogar ein sehr schweres: es bedeutet, daß ich meinen Posten verlassen habe. Ich schwöre dir,

wach zu bleiben. Stellt die Scheinwerfer ein, ihr anderen! Leuchtet mir in Maul und Augen — das macht wach! *Er wartet.* Schweine! *Er geht zu seinem Stuhl. In weichem und konziliantem Ton:* Gut, dann werde ich mich ein wenig setzen. *Er setzt sich. Er blinzelt schlaftrunken mit den Augen, nickt wiederholt ein.* Rosen ... Oh, das ist sehr lieb ... *Er steht so unvermittelt auf, daß er seinen Stuhl umwirft.* Rosen? Und wenn ich den Strauß annehme, wird man mir den Karnevalsstreich spielen. *Zu den Krabben.* Ein schamloser Karneval! Zu mir, Freunde, ich weiß zuviel, man will mich in das Loch stoßen, das ist die große Versuchung! *Er geht zum Nachttisch, nimmt einige Tabletten aus einem Röhrchen und zerkaut sie.* Puh! Verehrte Hörer, nehmen Sie bitte meine neue Ansage zur Kenntnis: De Profundis Clamavi, D. P. C. Alle ans Empfangsgerät! Knirscht mit den Zähnen! Wenn ihr mir nicht zuhört, schlafe ich ein. *Er gießt Sekt in ein Glas, trinkt, gießt sich dabei das halbe Glas auf den Waffenrock, läßt den Arm seitlich an sich herunterfallen, das Glas hängt zwischen seinen Fingerspitzen.* Unterdessen galoppiert das Jahrhundert ... Sie haben mir Baumwolle ins Gehirn gestopft. Und dichten Nebel. Ganz weiß ist er. *Er blinzelt mit den Augen.* Er zieht sich dicht am Boden über die Felder hin. Das schützt sie. Sie kriechen über die Felder. Heute abend wird noch Blut fließen.
Von ferne hört man Schüsse, Lärm, Pferdegalopp. — Er fällt in Schlaf, seine Augen sind geschlossen. — Feldwebel Heinrich macht die Toilettentür auf und geht auf Franz zu, der sich inzwischen wieder dem Publikum zugewandt hat und die Augen weiter geschlossen hält. Er legt die Hand zum Gruß an die Mütze und nimmt Haltung an.

3. SZENE

Franz, Feldwebel Heinrich

FRANZ *mit verschwommener Stimme und ohne die Augen zu öffnen:* Partisanen?
DER FELDWEBEL: Etwa zwanzig.
FRANZ: Tote?
DER FELDWEBEL: Nein. Zwei Verwundete.
FRANZ: Auf unserer Seite?
DER FELDWEBEL: Nein — bei den anderen. Man hat sie in die Scheune gebracht.

FRANZ: Sie kennen meine Befehle. Gehen Sie!

Der Feldwebel sieht Franz zögernd und wütend an.

DER FELDWEBEL: Zu Befehl, Herr Leutnant. *Er grüßt militärisch und macht kehrt. Dann verschwindet er durch die Toilettentür, die er hinter sich schließt.*

Pause. Franz fällt der Kopf auf die Brust. Er stößt einen schrecklichen Schrei aus und erwacht.

4. SZENE

Franz

FRANZ *allein. Er fährt beim Erwachen erschrocken auf und sieht das Publikum verstört an:* Nein! Heinrich! Heinrich! Ich habe «Nein» gesagt! *Er erhebt sich mühsam, nimmt ein Lineal vom Tisch und schlägt sich damit über die Finger der linken Hand; als ob er eine Lektion erteilt.* Ganz sicher! *Er schlägt sich wieder mit dem Lineal.* Ich nehme alles auf mich. Was hat sie gesagt? *Er wiederholt Lenis Worte, als wären es seine eigenen.* Ich tue, was ich will, und ich will, was ich tue! *Gehetzt.* Sitzung vom 20. Mai 3059. Leutnant Franz Gerlach. Werfen Sie mein Jahrhundert nicht in den Müllkasten! Wenigstens nicht, ohne mich angehört zu haben. Das Böse, meine Herren Richter, das Böse war der einzige Rohstoff. Man verarbeitete ihn in unseren Raffinerien. Das Gute war das Endprodukt. Und das Ergebnis: das Gute wurde schlecht. Und glauben Sie nicht, daß das Böse etwa gut wurde. *Er lächelt gutmütig. Sein Kopf fällt herab.* Nun? *Schreiend.* Schläfrigkeit? Aber was! Schwachsinn! Man will mich um den Verstand bringen. Hütet euch, ihr Richter! Wenn ich den Verstand verliere, versinkt mein Jahrhundert. Der Herde der Jahrhunderte fehlt ein räudiges Schaf. Was wird das vierzigste sagen, ihr Arthropoden, wenn das zwanzigste sich verirrt hat? *Pause.* Keine Hilfe? Niemals Hilfe? Euer Wille geschehe! *Er begibt sich in den Vordergrund der Szene und setzt sich.* Ah! Ich hätte sie nicht wegschicken dürfen. *Es klopft an die Tür. Er horcht und richtet sich auf. – Es ist das verabredete Zeichen. Mit einem Freudenschrei.* Leni! *Er läuft zur Tür, hebt die Eisenstange hoch und schiebt den Riegel zurück. Seine Bewegungen sind entschlossen und entschieden. Er ist jetzt wieder vollkommen wach. Während er die Tür öffnet:* Komm schnell herein! *Er tritt einen Schritt zurück, um sie vorbeizulassen.*

5. SZENE

Franz, Johanna

Johanna erscheint auf der Türschwelle, sehr schön geschminkt, in einem langen Kleid. Franz tritt einen Schritt zurück.

FRANZ *mit heiserem Schrei:* Ha! *Er weicht zurück.* Wer ist das? *Sie will ihm antworten, aber er hindert sie daran.* Kein Wort! *Er weicht zurück und setzt sich. Dann betrachtet er sie lange, rittlings auf seinem Stuhl sitzend. Er scheint von ihr ganz bezaubert zu sein. Er macht ein Zeichen der Einwilligung und sagt mit angehaltenem Atem:* Ja. *Kurzes Schweigen.* Sie wird hereinkommen ... *Sie tut, was er sagt* ... und ich werde allein sein. *Zu den Krabben.* Danke, Kameraden! Ich hatte eure Hilfe bitter nötig. *In einer Art Verzückung.* Sie wird schweigen, es wird nur eine Halluzination sein, ich werde sie nur ansehen!

JOHANNA *scheint auch von ihm beeindruckt zu sein. Sie hat sich wieder in der Gewalt. Sie spricht lächelnd, um ihre Angst zu übertönen:* Ich muß aber mit Ihnen sprechen.

FRANZ *hat sich von ihr, langsam und ohne sie aus den Augen zu lassen, rückwärts gehend, entfernt:* Nein! *Er schlägt auf den Tisch.* Ich wußte ja, daß sie alles verpfuschen würde. *Pause.* Es ist gerade jemand bei mir. Verschwinden Sie! *Sie rührt sich nicht vom Fleck.* Dann werde ich Sie davonjagen lassen wie eine Bettlerin.

JOHANNA: Von wem?

FRANZ *schreiend:* Leni! *Pause.* Mit scharfem und hellem Verstand haben Sie genau meine schwache Stelle getroffen: ich bin allein. *Er kommt plötzlich zurück. Nach einer Weile.* Wer sind Sie?

JOHANNA: Werners Frau.

FRANZ: Werners Frau? *Er erhebt sich und betrachtet sie.* Werners Frau? *Er betrachtet sie bestürzt.* Wer schickt dich?

JOHANNA: Niemand.

FRANZ: Woher kennst du das Zeichen?

JOHANNA: Von Leni.

FRANZ *mit trockenem Lachen:* Von Leni also! Das glaube ich dir gern.

JOHANNA: Als sie hier einmal klopfte, da habe ich sie ... überrascht und die Schläge gezählt.

FRANZ: Man hatte mir schon berichtet, daß du überall herumschnüffelst. *Pause.* Meine Gnädigste, Sie haben es riskiert, mich zu töten. *Sie lacht.* Lache nur! Lache nur! Ich hätte einen Herzschlag bekommen und tot umfallen können. Was hättest du dann gemacht? Man hat mir Besuche strikt untersagt wegen meines Herzens. Ohne einen unvorhersehbaren Umstand hätte dieses Organ wahrscheinlich zu schlagen aufgehört: nur der Zufall hat es so gefügt, daß du schön bist. Oh! Einen Augenblick bitte. Es ist noch einmal gutgegangen. Ich habe dich für Gott weiß was gehalten, vielleicht für eine Vision. Mache dir diesen glücklichen Irrtum zunutze und verschwinde, bevor du ein Verbrechen begehst!

JOHANNA: Nein.

FRANZ *schreiend:* Ich werde . . . *Er geht drohend auf sie zu, bleibt dann stehen. Er läßt sich wieder auf seinen Stuhl fallen. Er fühlt sich den Puls.* Mindestens hundertvierzig. Um Gottes willen! Mach, daß du hier wegkommst, du siehst doch, daß ich am Verrecken bin!

JOHANNA: Das wäre die beste Lösung.

FRANZ: Was? *Er nimmt die Hand von der Brust und betrachtet Johanna mit einem Ausdruck von Überraschung.* Sie hatte schon recht: du bist bestochen! *Er erhebt sich und geht gemächlich auf und ab.* So schnell lasse ich mich nicht kleinkriegen. Immer langsam. Immer langsam. *Er kommt plötzlich zu ihr zurück.* Die beste Lösung? Für wen? Für alle falschen Zeugen der Welt?

JOHANNA: Für Werner und für mich. *Sie sieht ihn an.*

FRANZ *betroffen:* Ich bin dir im Wege?

JOHANNA: Du tyrannisierst uns.

FRANZ: Ich kenne dich nicht einmal.

JOHANNA: Du kennst Werner.

FRANZ: Ich erinnere mich nur noch dunkel an ihn.

JOHANNA: Man hält uns hier gewaltsam zurück. In deinem Namen.

FRANZ: Wer?

JOHANNA: Vater und Leni.

FRANZ *belustigt:* Sie schlagen dich also, sie legen dich an die Kette?

JOHANNA: Aber nein.

FRANZ: Wie dann?

JOHANNA: Erpressung.

FRANZ: Das schon. Darauf verstehen sie sich. *Trockenes Lachen. Er zeigt sich wieder erstaunt.* In meinem Namen also? Warum? Was bezwecken sie damit?

JOHANNA: Uns in Reserve zu halten: Im Unglücksfall sollen wir die Ablösung übernehmen.

FRANZ *erheitert:* Dein Mann soll mir dann wohl die Suppe kochen, und du wirst mein Zimmer auskehren? Kannst du stopfen?

JOHANNA *zeigt auf die zerfetzte Uniform:* Das Nähen und Stopfen wird keine ausfüllende Beschäftigung sein.

FRANZ: Täusche dich nicht. Das sind ganz solide Löcher. Wenn meine Schwester nicht Feenhände hätte ... *Plötzlich ernst.* Aus der Ablösung wird nichts: schere dich mit Werner zum Teufel und laß dich hier nicht mehr sehen! *Er geht zu seinem Stuhl, kommt aber in dem Augenblick, wo er sich setzen will, zu ihr zurück.* Du bist noch da?

JOHANNA: Ja.

FRANZ: Du hast mich wohl nicht verstanden: ich gebe dir deine Freiheit zurück.

JOHANNA: Gar nichts gibst du mir zurück.

FRANZ: Ich sage dir doch: du bist frei.

JOHANNA: Worte sind Schall und Rauch!

FRANZ: Du willst Taten sehen?

JOHANNA: Ja.

FRANZ: Also? Was soll ich tun?

JOHANNA: Am besten brächtest du dich um.

FRANZ: Das fehlte noch. *Kurzes Lachen.* Rechne nicht damit. Keinesfalls.

JOHANNA *nach kurzem Schweigen:* Dann hilf uns!

FRANZ *mit erstickter Stimme:* Wie?

JOHANNA *mit Wärme:* Du mußt uns helfen, Franz! *Pause.*

FRANZ: Nein. *Pause.* Ich bin nicht aus diesem Jahrhundert. Ich werde alle Menschen auf einmal retten, aber ich helfe keinem allein. *Er geht erregt auf und ab.* Ich verbiete dir, mich in deine Geschichten zu zerren. Ich bin krank, verstehst du? – Man macht sich das zunutze, um mich in der niederträchtigsten Abhängigkeit zu halten, und du sollst dich schämen – jung und gesund wie du bist –, einen Kranken, einen Unterdrückten zu Hilfe zu rufen. *Pause.* Ich bin gebrechlich, Gnädigste, und meine Ruhe geht allem anderen vor. Anordnung des Arztes. Man könnte dich vor meinen Augen erwürgen, ohne daß ich auch nur einen Finger rühren würde. *Mit Selbstgefälligkeit.* Du findest mich abstoßend?

JOHANNA: Zutiefst.

FRANZ *reibt sich die Hände:* Sieh mal einer an!

JOHANNA: Aber doch nicht tief genug, um mich zum Gehen zu bewegen.

FRANZ: Gut. *Er ergreift den Revolver und zielt auf Johanna.* Ich zähle bis drei. *Sie lächelt.* Eins! *Pause.* Zwei! *Pause.* Huiii! Niemand mehr. Verschwunden! *Zu den Krabben.* Welche Ruhe! Sie schweigt. Ich habe es erreicht, Kameraden: «Sei schön und schweige.» Ein Bild! Zeichnet es sich auf eurer Glasscheibe ein? Ach nein! Was könnte sich schon einschreiben? Nichts hat sich verändert, nichts ist geschehen. Durch eine Fehlzündung ist die Leere in dieses Zimmer eingetreten – das ist alles. Die Leere – ein Diamant, der kein Glas ritzt –, die Halluzination, die Schönheit. Ihr werdet nur ihr Feuer sehen, arme Schaltiere. Ihr habt euch unsere Augen angeeignet, um das zu sehen, was existiert. Uns aber, Zeitgenossen der Menschen, blieb es vorbehalten, mit denselben Augen das zu sehen, was nicht existiert.

JOHANNA *ruhig:* Vater wird sterben.

Schweigen. Franz wirft den Revolver auf den Tisch und erhebt sich plötzlich.

FRANZ: Damit hast du kein Glück. Leni hat mir gerade erst berichtet, daß er sich so stark fühlt wie eine Eiche.

JOHANNA: Sie lügt.

FRANZ *voller Gewißheit:* Bei allen außer mir: das ist unsere Spielregel. *Plötzlich.* Verstecke dich, du solltest vor Scham sterben. Eine so grobe und so leicht durchschaubare List anzuwenden! Hm, was? In weniger als einer Stunde hattest du zweimal gewonnenes Spiel, und du hast diese unerhörte Chance nicht einmal genutzt! Du bist von der ordinären Sorte, meine junge Schwägerin, und ich wundere mich nicht mehr darüber, daß Werner dich geheiratet hat. *Er dreht ihr den Rücken zu, setzt sich und schlägt zwei Muscheln gegeneinander. Sein Gesicht drückt Härte und Vereinsamung aus. Er nimmt von Johanna keine Notiz.*

JOHANNA *zum erstenmal aus der Fassung gebracht:* Franz! *Schweigen.* ... er hat keine sechs Monate mehr zu leben! *Schweigen. Um ihre Angst zu übertönen, nähert sie sich ihm und berührt seine Schulter. Keine Reaktion bei ihm. Ihre Hand fällt herab. Sie betrachtet ihn schweigend.* Du hast recht: ich habe meine Chance nicht zu nutzen gewußt. Leb wohl! *Sie macht Anstalten zu gehen.*

FRANZ *plötzlich:* Warte! *Sie kommt langsam zurück. Er dreht ihr weiter den Rücken zu.* Die Tabletten da, in der Glasröhre. Auf dem Nachttisch. Gib sie mir bitte!

JOHANNA *geht zum Nachttisch:* Pervitin? Meinst du das? *Er nickt bejahend mit dem Kopf. Sie wirft ihm die Glasröhre hin. Er fängt sie auf.* Warum nimmst du Pervitin?

FRANZ: Um dich ertragen zu können. *Er schluckt vier Tabletten.*

JOHANNA: Vier auf einmal?

FRANZ: Und gleich vier hinterher macht acht. *Er trinkt.* Man trachtet mir nach dem Leben, ich weiß es; du bist das Werkzeug eines Mörders. Jetzt ist der Augenblick gekommen, die rechten Überlegungen anzustellen, nicht wahr? Und bündige. *Er nimmt eine weitere Tablette.* Vorher war dichter Nebel . . . *Er deutet mit dem Finger auf die Stirn.* . . . da drin. Jetzt baue ich dort eine Sonne ein. *Er trinkt, nimmt alle seine Kräfte zusammen und kommt zurück. Sein Gesichtsausdruck ist jetzt bestimmt und hart.* Sag mal: wer hat dir den Rat gegeben, dieses Kleid, diesen Schmuck und diese Goldketten anzulegen? Sie gerade heute anzulegen? Es ist bestimmt Vater, der dich schickt.

JOHANNA: Nein.

FRANZ: Aber er hat dir seine guten Ratschläge gegeben. *Sie will etwas sagen.* Überflüssig! Ich kenne sie, als hätte ich sie dir selbst gegeben. Und ich weiß, offen gesagt, nicht mehr genau, wer von uns beiden eigentlich den anderen in die Welt gesetzt hat. Wenn ich das Komplott voraussehen will, das er gerade anzettelt, so fange ich mit einer Gehirnwäsche an und überlasse mich der Leere; die ersten Gedanken, die sich dann einstellen, sind die seinen. Weißt du, warum? Er hat mich geschaffen nach seinem Bilde – falls er nicht das Abbild dessen geworden ist, was er geschaffen. *Er lacht.* Du verstehst kein Wort? *Fegt mit einer müden Geste alles fort.* Das sind Spiegelbilder. *Imitiert den Vater.* «Und vor allen Dingen: mach dich schön!» Ich kann ihn direkt hören. Er liebt die Schönheit, der alte Narr: also weiß er, daß mir nichts über die Schönheit geht. Außer meinem eigenen Irrsinn. Du bist seine Geliebte? *Sie schüttelt den Kopf.* Er ist also alt geworden! Seine Komplicin also?

JOHANNA: Bisher war ich seine Gegnerin.

FRANZ: Du hast also die Fronten gewechselt? Das liebt er. *Plötzlich ernst.* Sechs Monate, sagst du?

JOHANNA: Keinen mehr.

FRANZ: Das Herz?

JOHANNA: Der Kehlkopf.

FRANZ: Krebs? *Johanna nickt.* Das kommt davon: Dreißig Zigaretten am Tag! Der Dummkopf! *Schweigen.* Krebs? Dann wird er sich das Leben nehmen. *Pause. Er erhebt sich, nimmt einige Muscheln und bombardiert das Hitlerbild mit ihnen.* Er wird sich das Leben nehmen, alter Führer, er wird sich das Leben nehmen! *Schweigen. Johanna sieht ihn an.* Was hast du denn?

JOHANNA: Nichts. *Pause.* Du liebst ihn.

FRANZ: So sehr wie mich selbst und weniger als die Cholera. Was will er also? Eine Unterredung?

JOHANNA: Nein.

FRANZ: Um so besser für ihn. *Schreit.* Ich pfeife darauf, ob er lebt! Ich pfeife darauf, ob er krepiert! Sieh dir an, was er aus mir gemacht hat! *Er nimmt die Glasröhre mit den Tabletten und schraubt den Deckel ab.*

JOHANNA *sanft:* Gib mir diese Glasröhre!

FRANZ: Warum mischst du dich ein?

JOHANNA *streckt die Hand aus:* Gib sie mir!

FRANZ: Ich muß mich aufputschen. Und ich liebe es nicht, wenn man meine Gewohnheiten ändern will. *Sie streckt noch immer die Hand aus.* Ich gebe sie dir, aber du darfst nicht mehr von dieser dummen Geschichte reden. Einverstanden? *Johanna macht ein unbestimmtes Zeichen, das man für Zustimmung halten kann.* Gut. *Er gibt ihr die Glasröhre.* Ich werde alles vergessen. Auf der Stelle. Ich werde vergessen, was ich wollte: die sind stark, was? *Pause.* So! Requiescat in pace. *Pause.* Nun? Sprich doch!

JOHANNA: Über wen? Über was?

FRANZ: Über alles – außer über unsere Familie. Über dich zum Beispiel.

JOHANNA: Da gibt es nichts zu erzählen.

FRANZ: Also muß ich das Thema bestimmen. *Er betrachtet sie aufmerksam.* Ein schöner Lockvogel, das bist du. *Er mustert sie von oben bis unten.* Sogar berufsmäßig. *Pause.* Schauspielerin?

JOHANNA: Ich war es.

FRANZ: Und dann?

JOHANNA: Dann habe ich Werner geheiratet.

FRANZ: Du hattest keinen Erfolg?

JOHANNA: Nicht genug.

FRANZ: Statisterie? Oder kleine Rollen?

JOHANNA *mit einer Geste, die die Vergangenheit wegwischt:* Pah!

FRANZ: Star also?

JOHANNA: Wenn du es so nennen willst.

FRANZ *mit ironischer Bewunderung:* Ein Star also! Und trotzdem hattest du keinen Erfolg? Was wolltest du denn?

JOHANNA: Was kann man schon wollen? Alles.

FRANZ *langsam:* Alles, ja. Weiter nichts. Alles oder nichts. *Lachend.* So was nimmt ein schlechtes Ende, nicht wahr?

JOHANNA: Immer.

FRANZ: Und Werner? Will er alles?

JOHANNA: Nein.

FRANZ: Warum hast du ihn geheiratet?

JOHANNA: Weil ich ihn liebte.

FRANZ *sanft:* Aber nein.

JOHANNA *entrüstet:* Wie bitte?

FRANZ: Menschen, die alles wollen ...

JOHANNA *wie eben:* Was ist mit denen?
FRANZ: Sie können nicht lieben.
JOHANNA: Ich will nichts mehr.
FRANZ: Bis auf sein Glück, hoffe ich!
JOHANNA: Bis auf das. *Pause.* Hilf uns!
FRANZ: Was erwartest du von mir?
JOHANNA: Daß du wieder ins Leben zurückkehrst.
FRANZ: Hört, hört! *Lachend.* Vorhin schlugst du Selbstmord vor.
JOHANNA: Das eine oder das andere.
FRANZ *mit boshaftem Grinsen:* Jetzt wird mir alles klar! *Pause.* Ich bin wegen Mordes angeklagt, und die Strafverfolgung ist nur eingestellt worden, weil ich offiziell für tot erklärt wurde. Du wußtest das, nicht wahr?
JOHANNA: Ich wußte es.
FRANZ: Und dann willst du, daß ich ins Leben zurückkehre?
JOHANNA: Ja.
FRANZ: So – so. *Pause.* Wenn man seinen Schwager nicht umbringen kann, dann bringt man ihn hinter Schloß und Riegel. *Sie zuckt die Achseln.* Soll ich die Polizei hier erwarten oder mich selbst stellen?
JOHANNA *gereizt:* Du wirst nicht ins Gefängnis kommen.
FRANZ: Nein?
JOHANNA: Bestimmt nicht.
FRANZ: Dann will also er die Sache in Ordnung bringen. *Johanna nickt.* Er hat den Mut noch immer nicht verloren? *Mit einer Ironie, die voller Ressentiment ist.* Was hat er nicht schon alles für mich getan, der Gute! *Er zeigt auf das Zimmer und sich selbst.* Und hier das Ergebnis! *Heftig.* Schert euch alle zum Teufel!
JOHANNA *mit unterdrückter Enttäuschung:* Oh! Franz! Du bist ein Feigling!
FRANZ *sich heftig aufrichtend:* Was? *Er faßt sich wieder. Mit zur Schau gestelltem Zynismus.* Na gut – ja. Und wenn schon?
JOHANNA: Und das hier? *Sie berührt seine Orden mit den Fingerspitzen.*
FRANZ: Das? Sieh her! *Er reißt einen Orden ab und entfernt das Silberpapier. Er ist aus Schokolade. Er ißt ihn auf.* Oh! Ich habe sie mir alle redlich verdient. Sie gehören mir, und es ist mein gutes Recht, sie aufzuessen. Heldenmut, ja – das ist meine Sache. Aber die Helden . . . Nun – du weißt selbst, was es mit denen auf sich hat.
JOHANNA: Nein.
FRANZ: Nun gut – es gibt alles auf der Welt: Polizisten und Diebe,

Soldaten und Zivilisten – sehr wenige Zivilisten, Feiglinge und sogar mutige Leute; wie auf einem Jahrmarkt. Ihnen allen ist eins gemeinsam: die Orden. Ich bin ein feiger Held und trage meine Orden in Schokolade: Das schickt sich besser. Willst du auch einen? Du brauchst dich nicht zu genieren: ich habe über hundert solcher Dinger in meinen Schubladen.

JOHANNA: Gern.

Er reißt einen Orden ab und reicht ihn Johanna. Sie nimmt ihn und ißt ihn auf.

FRANZ *plötzlich voller Heftigkeit:* Nein!

JOHANNA: Wie bitte?

FRANZ: Ich unterwerfe mich nicht dem Urteil der Frau meines jüngeren Bruders. *Mit Nachdruck.* Ich bin kein Feigling, Gnädigste, und ich fürchte mich nicht vor dem Gefängnis: ich lebe ja schon in einem. Du würdest das Leben, das man mir aufzwingt, keine drei Tage aushalten.

JOHANNA: Was beweist das? Du hast es selbst gewählt.

FRANZ: Ich? Aber ich wähle nie, meine Liebe. Ich werde gewählt. Neun Monate vor meiner Geburt hat man die Wahl getroffen für meinen Namen, meinen Beruf, meinen Charakter und mein Schicksal. Ich sage dir, daß man es mir aufgezwungen hat, dieses Leben in einer Zelle. Du solltest begreifen, daß ich es nicht ohne einen triftigen Grund auf mich nehme.

JOHANNA: Und der wäre?

FRANZ *geht einen Schritt zurück. Kurze Pause:* Deine Augen leuchten so. Nein, ich werde keine Geständnisse machen.

JOHANNA: Du bist in die Enge getrieben, Franz: Entweder sind deine Gründe wirklich stichhaltig, oder die Frau deines jüngeren Bruders wird ohne Gnade über dich das Urteil fällen. *Sie hat sich ihm genähert und will einen Orden abnehmen.*

FRANZ: Bist du der Tod? Nein – nimm lieber die Kreuze: sie sind aus bester Schokolade.

JOHANNA *ein Kreuz nehmend:* Danke. *Sie entfernt sich ein wenig von ihm.* Der Tod? Sehe ich ihm ähnlich?

FRANZ: Ab und zu.

JOHANNA *wirft einen Blick auf den Spiegel:* Du erschreckst mich. Wann?

FRANZ: Wenn du schön wirkst. *Pause.* Du dienst ihnen als Werkzeug, Gnädigste, sie haben es so eingefädelt, daß du die Rechnungsbücher von mir forderst. Und wenn ich sie dir aushändige, riskiere ich mein Leben. *Pause.* Macht nichts: ich nehme das Risiko auf mich. Na los!

JOHANNA *nach einiger Zeit:* Warum versteckst du dich hier?

FRANZ: Zunächst einmal verstecke ich mich nicht. Wenn ich mich der Strafverfolgung hätte entziehen wollen, dann wäre ich schon längst nach Argentinien gegangen. *Er zeigt auf die Wand.* Hier war ein Fenster. Es ging auf das, was früher unser Park war.

JOHANNA: Park w a r?

FRANZ: Ja. *Sie sehen sich einen Augenblick lang an. Dann ergreift Franz wieder das Wort.* Ich habe es zumauern lassen. *Pause.* Es geht da etwas vor sich. Draußen. Etwas, das ich nicht sehen will.

JOHANNA: Und was ist das?

FRANZ *sieht sie herausfordernd an:* Die Vernichtung Deutschlands. *Er sieht sie noch immer halb bittend, halb drohend an, als wollte er sie am Sprechen hindern: sie haben die gefährliche Zone erreicht.* Sage nichts: ich habe die Ruinen gesehen.

JOHANNA: Wann?

FRANZ: Bei meiner Rückkehr aus Rußland.

JOHANNA: Das ist vierzehn Jahre her.

FRANZ: Ja.

JOHANNA: Und du glaubst, daß sich seitdem nichts geändert hat?

FRANZ: Ich w e i ß, daß sich alles von Stunde zu Stunde verschlimmert.

JOHANNA: Hat Leni dir das gesagt?

FRANZ: Ja.

JOHANNA: Liest du die Zeitungen?

FRANZ: Sie liest sie für mich. Die ausradierten Städte, die zerbrochenen Maschinen, die demontierten Industrieanlagen, die rapide ansteigende Arbeitslosigkeit und Tuberkulose, der steile Sturz der Geburtenkurve – nichts von alledem ist mir entgangen. Meine Schwester schreibt alle Statistiken für mich ab. *Er zeigt auf die Schublade im Tisch.* Ich hebe sie in dieser Schublade auf; der schönste Mord der Geschichte, ich habe alle Beweise. Frühestens in zwanzig, spätestens in fünfzig Jahren wird der letzte Deutsche sterben. Denke nicht, daß ich mich beklage: wir sind besiegt, man erdrosselt uns, das ist ganz in der Ordnung. Aber du verstehst vielleicht, daß ich keine Lust habe, bei diesem Schlachten zuzusehen. Ich werde keine Rundreisen machen, um zerstörte Kirchen und ausgebrannte Fabriken zu sehen, ich werde keine Kellerlöcher besichtigen, in die man ganze Familien gepfercht hat, ich werde nicht zwischen Krüppeln, Sklaven, Verrätern und Huren herumstrolchen. Ich nehme an, daß du diesen Anblick gewöhnt bist, mir aber, um es offen zu sagen, wäre er unerträglich. Und in meinen Augen sind diejenigen Feiglinge, die ihn ertragen können. Wir hätten den Krieg gewinnen müssen. Unter Einsatz aller Mittel. Ich sage: aller. Hm, was? Oder verschwinden! Glaub mir: ich hätte den soldatischen Mut gehabt, mir eine Kugel in den Kopf zu jagen, aber da das deutsche Volk diesen niederträchtigen Todeskampf hinnimmt, den man ihm auferlegt, habe ich beschlossen, meinen Mund zu behalten, um nein zu schreien. *Er wird plötzlich nervös.* Nein! Nichtschuldig! *Schreiend.* Nein! *Schweigen.* So.

JOHANNA *langsam, sie kann sich nicht entscheiden:* Der niederträchtige Todeskampf, den man ihm auferlegt . . .

FRANZ *ohne sie aus den Augen zu lassen:* Ich habe gesagt: das ist alles. Alles.

JOHANNA *zerstreut:* Aha, so, das ist alles, alles. *Pause.* Ist das der einzige Grund, warum du dich einschließt?

FRANZ: Ja: der einzige. *Pause. Sie überlegt.* Was hast du? Beende dein Werk. Habe ich dir Angst gemacht?

JOHANNA: Ja.

FRANZ: Wodurch, schöne Seele?

JOHANNA: Dadurch, daß du Angst hast.

FRANZ: Vor dir?

JOHANNA: Vor dem, was ich sagen werde. *Pause.* Ich wünschte, ich wüßte nicht, was ich weiß.

FRANZ *seine tödliche Angst beherrschend, herausfordernd:* Was weißt du? *Sie zögert, sie messen sich mit Blicken.* Nun? Was weißt du? *Sie antwortet nicht. Pause. Sie sehen sich an: beide haben Angst. Es klopft an die Tür: zuerst fünfmal, dann viermal, darauf dreimal hintereinander zweimal. Franz lächelt vage. Er steht auf, um eine der Türen im Hintergrund zu öffnen. Man sieht halb die Badewanne. Mit leiser Stimme.* Es wird nur einen Augenblick dauern.

JOHANNA *mit halblauter Stimme:* Ich denke nicht daran, mich zu verstecken.

FRANZ *einen Finger auf den Lippen:* Pst! *Mit leiser Stimme.* Wenn du die Stolze spielst, setzt du den Gewinn deines kleinen Unternehmens aufs Spiel. *Sie zögert einen Augenblick, entschließt sich dann aber, ins Badezimmer zu gehen. Es klopft noch einmal.*

6. SZENE

Franz, Leni

Leni trägt ein Tablett.

LENI *aufs höchste erstaunt:* Du hast nicht verriegelt?

FRANZ: Nein.

LENI: Warum nicht?

FRANZ *trocken:* Bist du gekommen, um mich zu verhören? *Rasch.* Gib mir das Tablett und bleib hier! *Er nimmt ihr das Tablett ab und stellt es auf den Tisch.*

LENI *betroffen:* Was ist denn in dich gefahren?

FRANZ: Es ist zu schwer. *Er kommt zurück und betrachtet sie.* Willst du mir eine gute Regung zum Vorwurf machen?

LENI: Nein, aber sie beunruhigt mich. Wenn du gut wirst, bin ich immer auf das Schlimmste gefaßt.

FRANZ *lachend:* Ha! Ha! *Sie tritt ein und schließt die Tür hinter sich.* Ich habe dich nicht aufgefordert, hereinzukommen. *Pause. Er nimmt einen Hühnerflügel und ißt.* Gut, ich werde jetzt essen. Bis morgen also.

LENI: Warte. Ich will dich um Verzeihung bitten. Ich habe Händel mit dir gesucht.

FRANZ *mit vollem Mund:* Händel?

LENI: Ja – vorhin.

FRANZ *unbestimmt:* Ach ja! Vorhin . . . *Lebhaft.* Na gut! Ich verzeihe dir.

LENI: Ich habe dir gesagt, ich fürchte, ich könnte dich eines Tages verachten: das ist nicht wahr.

FRANZ: Schon gut! Schon gut! Es ist alles gut. *Er ißt.*

LENI: Deine Krabben – ich akzeptiere sie, ich unterwerfe mich ihrem Gerichtshof. Soll ich es ihnen sagen? *Zu den Krabben.* Ihr Schaltiere, ich verehre euch.

FRANZ: Was ist denn in dich gefahren?

LENI: Ich weiß nicht. *Pause.* Außerdem wollte ich dir noch etwas anderes sagen: ich brauche dich – ja dich, den Erben unseres Namens, den einzigen, dessen Liebkosungen mich verwirren, ohne mich zu erniedrigen. *Pause.* Ich weiß: ich tauge nichts. Aber ich bin eine geborene Gerlach, das heißt: verrückt vor Stolz – und ich kann nur mit einem Gerlach ins Bett gehen. Die Blutschande – sie ist mein Gesetz; sie ist mein Schicksal. *Lachend.* Mit einem Wort: sie ist meine Art, die Familienbande enger zu knüpfen.

FRANZ *gebieterisch:* Es reicht, es reicht. Hebe dir deine Psychologie für morgen auf. *Sie fährt erschrocken auf, ihr Mißtrauen kehrt zurück, sie beobachtet ihn.* Wir sind versöhnt. – Ich geb dir mein Wort. *Pause.* Sag mal, die Bucklige . . .

LENI *die darauf nicht vorbereitet ist:* Welche Bucklige?

FRANZ: Werners Frau. Ist sie wenigstens hübsch?

LENI: Ach! Ganz gewöhnlich.

FRANZ: So – so. *Pause. Dann ernst.* Danke, Schwesterchen. Du hast getan, was du tun konntest. Ja – was du konntest. *Er bringt sie zur Tür zurück. – Sie läßt es sich gefallen, ist aber doch beunruhigt.* Ich war kein sehr bequemer Kranker, nicht wahr? Also – leb wohl!

LENI *versucht zu lachen:* Was für eine Feierlichkeit! Ich sehe dich ja morgen wieder.

FRANZ *sanft, fast zärtlich:* Ich hoffe es von ganzem Herzen. *Er hat die Tür geöffnet. Er verneigt sich vor Leni und küßt sie auf die Stirn. – Sie hebt den Kopf, küßt Franz unvermittelt auf den Mund und geht.*

7. SZENE

Franz

Er schließt die Tür wieder, legt den Riegel vor, zieht sein Taschentuch aus der Tasche und wischt sich die Lippen ab. – Dann geht er zum Tisch zurück.

FRANZ: Täuscht euch nicht, Kameraden: Leni k a n n nicht lügen. *Auf das Badezimmer zeigend.* Die Lügnerin ist dort: ich werde sie beschämen, hm, was? Habt keine Angst: ich kann auf zwei Hochzeiten tanzen. Ihr werdet heute abend die Entlarvung eines falschen Zeugen miterleben. *Er bemerkt, daß seine Hände zittern, und gibt sich einen Ruck, ohne die Krabben aus den Augen zu lassen.* Los, meine kleinen Freunde, los! Dort! Dort! *Seine Hände hören allmählich zu zittern auf. Er wirft einen Blick in den Spiegel, zieht seinen Waffenrock zurecht und rückt sein Koppel gerade. – Er ist jetzt ganz verändert. Zum erstenmal seit Beginn des Bildes hat er sich vollkommen in der Gewalt. – Er geht zur Badezimmertür, öffnet sie und verbeugt sich vor Johanna.* An die Arbeit, Gnädigste!

Johanna tritt ein. Er schließt die Tür wieder und folgt ihr, hart, auf der Lauer. – Während der ganzen folgenden Szene wird es deutlich, daß er als Sieger aus der Begegnung hervorzugehen sucht.

8. SZENE

Franz, Johanna

Franz hat die Tür wieder geschlossen. Er kommt zurück und stellt sich vor Johanna auf. Johanna hat einen Schritt in Richtung auf die Eingangstür getan.

JOHANNA: Nein. Leb wohl!
FRANZ: Um Gottes willen, rühr dich nicht! Leni ist noch im Salon.
JOHANNA: Was macht sie dort?
FRANZ: Ordnung. Vorsicht; deine Absätze! *Er klopft mehrmals leicht gegen die Tür, um das Klappern von Damenabsätzen nachzumachen. Dabei läßt er Johanna nicht aus den Augen. Man spürt, daß er das Risiko abmißt, das er bei der Geschichte läuft, und daß seine Worte genau berechnet sind.* Du wolltest gehen, aber du hattest mir doch einige Enthüllungen zu machen, dachte ich?
JOHANNA *seit sie das Badezimmer verlassen hat, scheint sie sich nicht ganz wohl zu fühlen:* Nicht, daß ich wüßte!
FRANZ: Ach? *Pause.* Macht nichts! *Pause.* Du wirst also nichts sagen?
JOHANNA: Ich habe nichts zu sagen.
FRANZ *der sich plötzlich erhebt:* Nein, liebe Schwägerin, so billig kommst du nicht weg. – Zuerst hat man mich befreien wollen, dann hat man sich die Sache überlegt, und jetzt will man sich so einfach aus dem Staube machen, nachdem man in mir einen raffiniert ersonnenen Verdacht erregt hat, der mich vergiften soll: Aber daraus wird nichts! *Er geht zum Tisch und nimmt eine Flasche und zwei Sektgläser. Während er den Sekt eingießt.* So sieht es also in Deutschland aus? Es erholt sich wieder? Wir schwimmen im Wohlstand?
JOHANNA *erbittert:* Deutschland ...
FRANZ *sehr schnell, sich die Ohren zuhaltend:* Überflüssig! Überflüssig! Ich glaube dir doch nichts. *Johanna sieht ihn an, zuckt die Achseln und schweigt. – Er geht offen und gemächlich auf und ab.* Mit einem Wort: ein Mißerfolg.
JOHANNA: Was?
FRANZ: Dein Streich.

JOHANNA: Ja. *Pause. Dann mit unerbittlicher Stimme:* Man müßte dich heilen oder umbringen.

FRANZ: Ach so! *Liebenswürdig.* Du wirst dir etwas anderes ausdenken müssen. *Pause.* Wenigstens hast du mir auf diese Weise das Vergnügen bereitet, mich an deinem Anblick erfreuen zu dürfen, und ich stehe nicht an, dir für deine Großzügigkeit zu danken.

JOHANNA: Ich bin nicht großzügig.

FRANZ: Wie willst du die Mühe sonst bezeichnen, die du dir gemacht hast? Und diese Arbeit vor dem Spiegel? Das hat dich doch bestimmt mehrere Stunden gekostet. Welche Aufmachung für einen einzigen Mann!

JOHANNA: Das mache ich jeden Abend.

FRANZ: Für Werner?

JOHANNA: Für Werner. Und manchmal auch für seine Freunde.

FRANZ *schüttelt lächelnd den Kopf:* Nein.

JOHANNA: Glaubst du vielleicht, daß ich wie eine Schlampe im Zimmer herumlaufe, daß ich mich vernachlässige?

FRANZ: Das auch nicht gerade. *Er wendet seine Blicke von ihr ab, sieht die Wand an und beschreibt, wie er sie sich vorstellt.* Du gehst aufrecht. Sehr aufrecht – um den Kopf über Wasser zu halten. Dein Haar ist gepflegt, deine Lippen nicht geschminkt. Kein Puderstäubchen. Werner allein hat ein Recht auf deine Fürsorge, deine Zärtlichkeit, deine Küsse; nicht auf dein Lächeln: du lächelst nicht mehr.

JOHANNA *lächelnd:* Du Hellseher!

FRANZ: Menschen, die eingeschlossen sind, verfügen über besondere hellseherische Fähigkeiten, die ihnen gestatten, sich gegenseitig zu erkennen.

JOHANNA: Aber sie begegnen sich nicht allzu oft.

FRANZ: Nun gut, aber du siehst ja: gelegentlich geschieht es doch.

JOHANNA: Du erkennst mich also?

FRANZ: Wir erkennen u n s.

JOHANNA: Ich bin eine Eingeschlossene? *Sie erhebt sich, betrachtet sich im Spiegel und kommt wieder zurück, zum erstenmal sehr schön und verlockend wirkend.* Das hätte ich nicht geglaubt. *Sie geht auf ihn zu.*

FRANZ *lebhaft:* Deine Absätze!

Johanna zieht sich die Schuhe aus, wobei sie lächelt, und schleudert einen nach dem anderen gegen das Hitlerbild.

JOHANNA *nahe bei Franz:* Ich habe einmal die Tochter eines Mandanten von Werner gesehen: sie war ans Bett gefesselt, wog nur noch siebzig Pfund und war von oben bis unten mit Läusen bedeckt. Gleiche ich ihr?

FRANZ: Wie eine Schwester. Auch sie wollte alles, nehme ich an, und das heißt immer: mit Verlust spielen. Sie hat alles verloren und sich in ihr Zimmer eingeschlossen, um den Anschein zu erwecken, als mache s i e sich nichts aus der Welt.

JOHANNA *gereizt:* Wollen wir noch lange von mir sprechen? *Sie geht einen Schritt zurück und sagt, auf den Fußboden zeigend.* Jetzt dürfte Leni den Salon verlassen haben.

FRANZ: Noch nicht.

JOHANNA *mit einem Blick auf ihre Armbanduhr:* Werner wird gleich nach Hause kommen. Es ist acht Uhr.

FRANZ *heftig:* Nein. *Sie sieht ihn voll Überraschung an.* Hier gibt es keine Uhrzeit. Hier ist die Ewigkeit. *Er beruhigt sich wieder.* Geduld: du wirst bald frei sein. *Pause.*

JOHANNA *mit einer Mischung von Trotz und Neugierde:* Dann schließe ich mich also auch ein?

FRANZ: Ja.

JOHANNA: Aus Hochmut?

FRANZ: Dame!

JOHANNA: Woran fehlt es mir?

FRANZ: Du warst nicht schön genug.

JOHANNA *lächelnd:* Schmeichler!

FRANZ: Ich sage nur, was du denkst.

JOHANNA: Und du? Was denkst du?

FRANZ: Von mir?

JOHANNA: Nein – von mir.

FRANZ: Daß du eine Besessene bist.

JOHANNA: Verrückt?

FRANZ: Völlig verrückt.

JOHANNA: Was wolltest du mir eigentlich erzählen? Deine Geschichte oder meine?

FRANZ: Unsere Geschichte.

JOHANNA: Und wovon warst du besessen?

FRANZ: Trägt es überhaupt einen Namen? Von der Leere. *Pause.* Sagen wir: von der Größe. *Er lacht.* Sie hatte von mir Besitz ergriffen, aber ich besaß sie nicht.

JOHANNA: So war das also.

FRANZ: Du belauerst dich ständig, wie? Du versuchst, dich bei irgend etwas zu ertappen? *Johanna macht ein Zeichen der Zustimmung.* Und hast du dich bei irgend etwas ertappt?

JOHANNA: Glaubst du! *Sie betrachtet sich ohne Selbstgefälligkeit im Spiegel.* Ich sah d a s. *Sie deutet auf ihr Spiegelbild. Pause.* Ich ging in die Kinos der Nachbarschaft. Wenn der Star Johanna Thiess über die Leinwand glitt, vernahm ich ein leises Gemurmel. Das Publikum war gerührt – jeder angesteckt von der Rührung des anderen. Ich sah . . .

FRANZ: Was?

JOHANNA: Nichts. Ich habe niemals gesehen, was sie sahen. *Pause.* Und du?

FRANZ: Nun gut – ich habe es gemacht wie du: ich habe versagt. Man hat mich einmal vor der ganzen Armee ausgezeichnet. Findet Werner dich schön?

JOHANNA: Ich hoffe: nein. Ein einziger Mann, bedenke doch! Was zählt das schon?

FRANZ *langsam:* I c h finde dich schön.

JOHANNA: Um so besser für dich! Aber sprich bitte nicht davon. Niemand, verstehst du, niemand, seit das Publikum mich abgelehnt hat . . . *Sie beruhigt sich etwas und lacht.* Und du hältst dich für ein Armeekorps?

FRANZ: Warum nicht? *Er sieht sie ohne Unterlaß an.* Du mußt mir glauben, das ist deine Chance. Wenn du mir glaubst, vermehre ich mich bis ins Unendliche.

JOHANNA *nervös lachend:* Das ist ein Handel: «Geh du auf meine Verrücktheit ein, dann gehe ich auf deine ein.»

FRANZ: Warum nicht? Du hast nichts mehr zu verlieren. Und – was meine Verrücktheit angeht – du bist schon lange auf sie eingegangen. *Zeigt auf die Eingangstür.* Als ich dir die Tür öffnete, hast du nicht m i c h gesehen: du sahst ein Bild auf dem Grunde meiner Augen.

JOHANNA: Weil sie leer sind.

FRANZ: Eben darum.

JOHANNA: Ich erinnere mich nicht einmal, was es war, das Photo eines verstorbenen Filmstars. Alles verschwand, als du anfingst zu sprechen.

FRANZ: Du hast angefangen zu sprechen.

JOHANNA: Es war unerträglich. Man mußte das Schweigen brechen.

FRANZ: Den Zauber.

JOHANNA: Er war ohnehin gebrochen. *Pause.* Was fällt dir ein? *Sie lacht nervös.* Man könnte meinen, man stünde vor der Kamera. Genug. Du bist tot.

FRANZ: Dein ergebener Diener. Der Tod ist der Spiegel des Todes. Meine Größe spiegelt deine Schönheit wider.

JOHANNA: Ich wollte aber den Lebenden gefallen.

Franz: Den abgehetzten Massen, die vom Sterben träumen? Du zeigtest ihnen das reine und stille Antlitz der Ewigen Ruhe. Kinos sind Friedhöfe, liebe Freundin. Wie heißt du eigentlich?

Johanna: Johanna.

Franz: Johanna, ich begehre dich nicht, ich liebe dich nicht. Ich bin dein Zeuge und der aller Menschen. Ich lege vor den Jahrhunderten Zeugnis ab, und ich erkläre: du bist schön.

Johanna *wie bezaubert:* Ja.

Er schlägt heftig auf den Tisch.

Franz *mit harter Stimme:* Gestehe, daß du gelogen hast! Sage, daß Deutschland in den letzten Zügen liegt.

Johanna *fährt fast schmerzhaft zusammen. Es ist wie ein Aufwachen.* Ha! *Sie schaudert, und ihr Gesicht krampft sich zusammen. Für einen Augenblick wird sie fast häßlich.* Du hast alles verdorben.

Franz: Alles – ich habe das Bild getrübt. *Plötzlich.* Und du wolltest mich wieder zum Leben erwecken? Du würdest den Spiegel für nichts zerbrechen. Ich würde zu euch herunterkommen. Ich würde meine Suppe im Kreise der Familie essen, und du würdest mit deinem Werner nach Hamburg ziehen können. Wohin würde uns das führen?

Johanna *hat sich jetzt wieder in der Gewalt, lächelnd:* Nach Hamburg.

Franz: Du wirst dort nie wieder schön sein.

Johanna: Nein. Nie wieder.

Franz: Hier wirst du es alle Tage sein.

Johanna: Ja – wenn ich alle Tage wiederkomme.

Franz: Du wirst wiederkommen.

Johanna: Du wirst die Tür aufmachen?

Franz: Ich werde sie aufmachen.

Johanna *Franz nachahmend:* Und wohin würde uns das führen?

Franz: Hierher, in die Ewigkeit.

Johanna *lächelnd:* In ein Delirium zu zweit ... *Sie überlegt. Die Verzauberung ist von ihr gewichen, man merkt, daß sie auf ihre ursprünglichen Pläne zurückkommt.* Gut. Ich werde wiederkommen.

Franz: Morgen?

Johanna: Vielleicht morgen.

Franz *sanft:* Sag, daß Deutschland in den letzten Zügen liegt! Sag es – oder der Spiegel geht in Scherben! *Johanna schweigt. Er wird nervös, seine Hände beginnen wieder zu zittern.* Sag es! Sag es! Sag es!

JOHANNA *langsam:* Ein Delirium zu zweit: nun gut! *Pause.* Deutschland liegt in den letzten Zügen.

FRANZ: Es ist wirklich wahr?

JOHANNA: Ja.

FRANZ: Man will uns an die Kehle?

JOHANNA: Ja.

FRANZ: Gut. *Er horcht.* Sie ist fort. *Er hebt Johannas Schuhe auf, kniet vor ihr nieder und zieht sie ihr an. Sie erhebt sich. Er steht ebenfalls auf und verbeugt sich, wobei er die Hacken zusammenschlägt.* Bis morgen! *Johanna geht fast bis zur Tür, er folgt ihr, schiebt den Riegel zurück und öffnet die Tür. Sie nickt ihm mit dem Kopf zu und lächelt ihn flüchtig an. Sie will gehen, aber er hält sie zurück.* Warte! *Sie kommt zurück, er betrachtet sie mit plötzlichem Mißtrauen.* Wer hat nun gewonnen?

JOHANNA: Was gewonnen?

FRANZ: Die erste Partie.

JOHANNA: Das darfst du raten.

Sie geht. Er schließt die Tür, Eisenstange und Riegel. Er scheint erleichtert. Er geht in die Mitte der Bühne zurück und bleibt dort stehen.

9. SZENE

Franz allein

FRANZ: Pfff! *Einen Augenblick verharrt das Lächeln noch auf seinem Gesicht. Dann verkrampfen sich seine Züge. Er hat Angst.* De Profundis Clamavi! *Sein Leiden überfällt ihn.* Knirscht, knirscht, knirscht doch mit den Zähnen! *Er beginnt zu zittern.*

ENDE DES ZWEITEN AKTES

DRITTER AKT

Werners Büro. Moderne Möbel. Ein Spiegel. Zwei Türen

1. SZENE

Der Vater, Leni

Es klopft. Die Bühne ist leer. Es klopft noch einmal. Dann tritt der Vater ein. In der linken Hand trägt er eine Aktentasche; über den rechten Arm den zusammengelegten Regenmantel. Er schließt die Tür hinter sich, legt Regenmantel und Aktentasche auf einen Sessel und geht dann, sich anders besinnend, wieder zur Tür zurück und öffnet sie.

DER VATER *in die Kulissen rufend:* Ich sehe dich – *Ein kurzes, ungezwungenes Schweigen.* Leni.

LENI *erscheint einen Augenblick später, etwas herausfordernd:* Da bin ich!

DER VATER *streicht ihr übers Haar:* Guten Tag. Du hast dich versteckt?

LENI *weicht zurück:* Guten Tag, Vater. Ja, ich hatte mich versteckt. *Sie sieht ihn an.* Wie siehst du aus?

DER VATER: Die Reise hat mich etwas erhitzt. *Er hustet. Ein trokkenes und kurzes Husten, das weh tut.*

LENI: Herrscht die Grippe in Essen?

DER VATER *ohne zu verstehen:* Die Grippe? *Er hat verstanden.* Nein. Ich huste nur. *Sie betrachtet ihn ein wenig ängstlich.* Was macht dir das schon aus?

LENI *hat sich abgewendet und sieht ins Leere:* Ich hoffe, daß mir das nichts ausmacht. *Schweigen.*

DER VATER *jovial:* Also du hast mir nachspioniert?

LENI *liebenswürdig:* Ich habe dich aufgespürt. Jeder ist mal an der Reihe.

DER VATER: Du verlierst keine Zeit; da bin ich.

LENI: Ich wollte wissen, was du tust, wenn du ankommst.

DER VATER: Du siehst, ich besuche Werner.

LENI *wirft einen kurzen Blick auf ihre Armbanduhr:* Du weißt ganz genau, daß Werner auf der Werft ist.
DER VATER: Ich werde auf ihn warten.
LENI *mit gespielter Bestürzung:* Du?
DER VATER: Warum nicht? *Er setzt sich.*
LENI: Warum auch nicht? *Sie setzt sich ebenfalls.* Mit mir zusammen?
DER VATER: Allein.
LENI: Gut. *Sie erhebt sich.* Was hast du gemacht?
DER VATER *erstaunt:* In Essen?
LENI: Hier.
DER VATER *wie eben:* Was ich gemacht habe?
LENI: Ja, das frage ich dich.
DER VATER: Ich war sechs Tage fort, mein Kind.
LENI: Was hast du Sonntag abend gemacht?
DER VATER: Ach! Du gehst mir auf die Nerven. *Pause.* Nichts. Ich habe zu Abend gegessen und bin schlafen gegangen.
LENI: Alles hat sich verändert. Warum?
DER VATER: Was hat sich verändert?
LENI: Du weißt es.
DER VATER: Ich komme gerade aus dem Flugzeug: ich weiß nichts, ich habe nichts gesehen.
LENI: Du siehst m i c h.
DER VATER: Ganz recht. *Pause.* Du wirst dich nie verändern, Leni. Was auch geschieht.
LENI: Vater. *Zeigt auf den Spiegel.* Ich, ich sehe mich auch. *Sie tritt auf den Spiegel zu.* Natürlich hast du mir das Haar durcheinandergebracht. *Bringt ihr Haar wieder in Ordnung.* Wenn ich mich so sehe . . .
DER VATER: Erkennst du dich nicht wieder?
LENI: Überhaupt nicht. *Sie läßt die Arme fallen.* Bah! *Betrachtet sich mit plötzlicher Klarheit und Erstaunen.* Wie nichtssagend! *Ohne sich umzuwenden.* Johanna hatte sich gestern zum Abendessen geschminkt.
DER VATER: So? *Seine Augen leuchten einen Augenblick auf, aber er beherrscht sich.* Und?
LENI: Weiter nichts.
DER VATER: Das tun alle Frauen, und sie tun es alle Tage.
LENI: Aber sie tut das nie.
DER VATER: Vielleicht versucht sie, ihren Mann zurückzugewinnen.
LENI: Ihren Mann! *Verzieht höhnisch den Mund.* Wenn du ihre Augen gesehen hättest.

DER VATER *lächelnd:* Wieso? Was war mit ihnen?

LENI *kurz:* Du wirst sie ja sehen. *Pause. Trockenes Lachen.* Ha! Du wirst niemanden wiedererkennen. Werner spricht sehr laut, er ißt und trinkt für vier.

DER VATER: An mir liegt es nicht, wenn ihr euch verändert habt.

LENI: An wem sonst?

DER VATER: An niemand: diese alte blöde Kehle. Gut: Wenn ein Vater Abschied nimmt . . . Aber worüber beklagst du dich? Ich habe es euch sechs Monate im voraus angekündigt. Ihr hattet reichlich Zeit, euch darauf einzurichten, und du solltest mir dafür danken.

LENI: Ich danke dir dafür. *Pause. Mit veränderter Stimme.* Am Sonntagabend hast du uns eine Bombe mit Zeitzünder beschert. Wo ist sie? *Der Vater hebt die Schultern und lächelt.* Ich werde sie schon finden.

DER VATER: Eine Bombe! Warum willst du . . .?

LENI: Die Großen dieser Welt ertragen es nicht, allein zu sterben.

DER VATER: Ich will die ganze Familie mit in die Luft jagen, was?

LENI: Die Familie, nein: dazu liebst du sie nicht genug. *Pause.* Franz.

DER VATER: Der arme Franz! Ich soll ihn allein mit ins Grab nehmen, wenn das Universum mich überlebt. Leni, ich hoffe sehr, daß du mich daran hindern wirst.

LENI: Darauf kannst du dich verlassen. *Sie geht einen Schritt auf ihn zu.* Wenn es jemand wagt, ihm zu nahe zu kommen, wirst du sofort und allein dahingehen.

DER VATER: Gut. *Schweigen. Er setzt sich.* Sonst hast du mir nichts zu sagen? *Sie schüttelt den Kopf. Mit Bestimmtheit, aber ohne den Ton zu ändern:* Dann geh.

Leni sieht ihn einen Augenblick an, senkt den Kopf und geht hinaus. Der Vater erhebt sich, öffnet die Tür, wirft einen Blick in den Flur, als wolle er sich vergewissern, daß Leni sich dort nicht verbirgt, schließt die Tür wieder, dreht den Schlüssel herum und hängt sein Taschentuch über den Schlüssel, um das Schlüsselloch zu verdecken. Er wendet sich um, geht über die Bühne auf die Tür im Hintergrund zu und öffnet sie.

2. SZENE

Der Vater, dann Johanna

DER VATER *mit kräftiger Stimme:* Johanna! *Er wird von einem heftigen Hustenanfall unterbrochen. Er wendet sich um: da er im Augenblick allein ist, beherrscht er sich nicht mehr und leidet sichtlich. Er geht zum Schreibtisch, nimmt eine Karaffe, gießt Wasser in ein Glas und trinkt.*
Johanna tritt durch die Tür im Hintergrund ein und sieht ihn von rückwärts.

JOHANNA: Was ist? *Er dreht sich um.* Du bist es?

DER VATER *noch mit erstickter Stimme:* Ja, natürlich! *Er küßt ihr die Hand. Seine Stimme festigt sich.* Hast du mich nicht erwartet?

JOHANNA: Ich hatte dich vergessen. *Sie beherrscht sich und lacht.* War deine Reise erfolgreich?

DER VATER: Ausgezeichnet. *Sie betrachtet das Taschentuch auf dem Schlüssel.* Ach nichts, ein zugedecktes Auge. *Pause. Er sieht sie an.* Du bist nicht geschminkt.

JOHANNA: Nein.

DER VATER: Du gehst also nicht zu Franz?

JOHANNA: Ich gehe zu niemandem. Ich erwarte meinen Mann.

DER VATER: Aber du hast ihn gesehen?

JOHANNA: Wen?

DER VATER: Meinen Sohn?

JOHANNA: Du hast zwei Söhne, und ich weiß nicht, von welchem du sprichst.

DER VATER: Vom älteren. *Schweigen.* Nun, mein Kind?

JOHANNA *auffahrend:* Vater?

DER VATER: Und unsere Abmachung?

JOHANNA *mit dem Ausdruck amüsierten Erstaunens:* Ach ja: du hast Rechte. Was für ein Theater! *Fast vertraulich.* Alle spielen Theater hier im Erdgeschoß, sogar du, der bald sterben wird. Wie bringst du es nur fertig, dieses vernünftige Aussehen zu bewahren? *Pause.* Schön, ich habe ihn gesehen. *Pause.* Ich bin sicher, daß du nichts verstehen wirst.

DER VATER *war auf dieses Geständnis gefaßt, kann es aber nicht ohne gewisse Beklemmung anhören:* Du hast Franz gesehen. *Pause.* Wann? Montag?

JOHANNA: Montag und jeden Tag.

DER VATER: Jeden Tag! *Bestürzt.* Fünfmal?

JOHANNA: Das ist anzunehmen. Ich habe es nicht gezählt.

DER VATER: Fünfmal! *Pause.* Das ist ein Wunder. *Er reibt sich die Hände.*

JOHANNA *mit Bestimmtheit und ohne die Stimme zu heben:* Wie du meinst. *Der Vater steckt die Hände wieder in die Taschen.* Freu dich nicht zu sehr darüber.

DER VATER: Ich muß mich entschuldigen, Johanna. Auf dem Rückflug brach mir der kalte Schweiß aus. – Ich glaubte alles verloren.

JOHANNA: Nun und?

DER VATER: Ich höre, daß du ihn täglich siehst.

JOHANNA: Ich bin es, die alles verliert.

DER VATER: Wieso? *Sie hebt die Schultern.* Mein Kind, wenn er dir seine Tür öffnet, müßt ihr euch doch verstehen, ihr beiden.

JOHANNA: Wir verstehen uns – *in zynischem, hartem Ton* – wie zwei Taschendiebe auf dem Jahrmarkt.

DER VATER *bestürzt:* Bitte? *Schweigen.* Ihr seid also gute Freunde?

JOHANNA: Alles, nur keine Freunde.

DER VATER: Alles? *Pause.* Willst du damit etwa sagen ...

JOHANNA *überrascht:* Was? *Sie bricht in Lachen aus.* Liebende? Stell dir vor, wir haben nicht einmal daran gedacht. Wäre das für deine Pläne notwendig?

DER VATER *mit leichtem Humor:* Entschuldige, liebe Schwiegertochter, aber du bist selbst dran schuld: du erklärst mir nichts, weil du glaubst, ich verstehe nicht.

JOHANNA: Es gibt nichts zu erklären.

DER VATER *beunruhigt:* Er ist wenigstens ... nicht krank?

JOHANNA: Krank? *Sie versteht. Mit vernichtender Geringschätzung.* Oh! Verrückt? *Hebt die Schultern.* Wie soll ich das wissen?

DER VATER: Du siehst, wie er lebt.

JOHANNA: Wenn er verrückt ist, bin ich auch verrückt. Und warum sollte ich es nicht sein?

DER VATER: Du könntest mir auf alle Fälle sagen, ob er unglücklich ist.

JOHANNA *belustigt:* Sieh mal an! *Vertraulich.* Da oben haben die Worte eine andere Bedeutung.

DER VATER: Na gut. Wie sagt man denn da oben, wenn man leidet?

JOHANNA: Man leidet nicht.

DER VATER: So?

JOHANNA: Man ist beschäftigt.

DER VATER: Franz ist beschäftigt? *Johanna nickt.* Womit?

JOHANNA: Womit? Du meinst: mit wem?

DER VATER: Ja: das meine ich. Also?

JOHANNA: Das geht mich nichts an.

DER VATER *sanft:* Du willst nicht mit mir über ihn sprechen?

JOHANNA *mit tiefem Überdruß:* In welcher Sprache? Man muß die ganze Zeit übersetzen. Das ermüdet mich. *Pause.* Ich gehe jetzt, Vater.

DER VATER: Du läßt ihn im Stich?

JOHANNA: Er braucht niemanden.

DER VATER: Natürlich, es ist dein gutes Recht, du bist frei. *Pause.* Du hast mir aber ein Versprechen gegeben.

JOHANNA: Ich habe es gehalten.

DER VATER: Er weiß . . . *Johanna nickt.* Was hat er gesagt?

JOHANNA: Daß du zuviel rauchst.

DER VATER: Und was noch?

JOHANNA: Weiter nichts.

DER VATER *tief verletzt:* Ich wußte es! Sie belügt ihn auf der ganzen Linie, das Weib! Was wird sie ihm nicht alles erzählt haben, dreizehn Jahre lang . . . *Johanna lacht leise. Er unterbricht sich und sieht sie an.*

JOHANNA: Siehst du, wie wenig du verstehst. *Er blickt sie mit Härte an.* Was glaubst du wohl, was ich bei Franz mache? Ich belüge ihn.

DER VATER: Du?

JOHANNA: Sooft ich den Mund aufmache, belüge ich ihn.

DER VATER *bestürzt und fast entwaffnet:* Aber . . . Lügen waren dir doch immer verhaßt.

JOHANNA: Ich hasse sie auch jetzt noch.

DER VATER: Nun also?

JOHANNA: Nun also ja, ich lüge. Bei Werner durch mein Schweigen; bei Franz durch mein Reden.

DER VATER *sehr trocken:* So hatten wir es nicht abgemacht.

JOHANNA: O nein!

DER VATER: Du hattest recht: ich . . . ich verstehe nicht. Du handelst gegen deine eigenen Interessen!

JOHANNA: Gegen die von Werner.

DER VATER: Das sind die deinen.

JOHANNA: Nicht daß ich wüßte. *Schweigen. Der Vater, einen Augenblick ratlos, faßt sich wieder.*

DER VATER: Bist du ins andere Lager übergelaufen?

JOHANNA: Es gibt keine Lager.

DER VATER: Schön. Also hör mich an: Franz ist sehr zu bedauern, und ich begreife, daß du ihn schonen wolltest. Aber so kannst du nicht weitermachen! Wenn du dem Mitleid nachgibst, das er in dir weckt . . .

JOHANNA: Wir haben kein Mitleid.

DER VATER: Wer, ihr?
JOHANNA: Leni und ich.
DER VATER: Leni – das ist etwas ganz anderes. Aber welchen Namen, liebe Schwiegertochter, du deinen Gefühlen auch gibst, belüge nicht mehr meinen Sohn: du degradierst ihn. *Sie lächelt.* – *Mit mehr Nachdruck.* Er hat nur das eine Verlangen: zu fliehen. Wenn du ihn erst mit dem Ballast deiner Lügen beladen hast, wird er sich mit ihrer Hilfe zugrunde richten.
JOHANNA: Ich habe keine Zeit, ihm ernsthaft zu schaden: ich sage dir doch, ich gehe.
DER VATER: Wann und wohin?
JOHANNA: Morgen, irgendwohin.
DER VATER: Mit Werner?
JOHANNA: Ich weiß nicht.
DER VATER: Ist es eine Flucht?
JOHANNA: Ja.
DER VATER: Aber warum?
JOHANNA: Zwei Sprachen, zwei Leben, zwei Wahrheiten: findest du nicht, daß das zuviel ist für einen einzigen Menschen? *Sie lacht.* Die Waisenkinder von Düsseldorf, zum Beispiel – ich kann nicht von ihnen loskommen.
DER VATER: Was ist das? Eine Lüge?
JOHANNA: Eine Wahrheit von oben. Sie sind verlassene Kinder: sie sterben vor Hunger in einem Lager. Auf die eine oder andere Weise müssen sie existieren, denn sie verfolgen mich bis in dieses Erdgeschoß. Gestern abend hätte ich Werner fast gefragt, ob wir sie nicht retten können. *Sie lacht.* Das wäre noch gar nichts. Aber da oben . . .
DER VATER: Nun?
JOHANNA: Ich bin mein schlimmster Feind. Meine Stimme lügt, und mein Körper widerlegt sie. Ich spreche vom Hunger, und ich sage, daß wir daran zugrunde gehen werden. Da, sieh mich an: sehe ich etwa unterernährt aus? Wenn Franz mich sähe . . .
DER VATER: Er sieht dich also nicht?
JOHANNA: Er ist noch nicht so weit, mich anzusehen. *Wie zu sich selbst.* Ein Verräter. Besessener. Fanatiker. Er spricht, man hört ihn an. Und dann, plötzlich, sieht er sich im Spiegel; mit einem Schild quer über der Brust, einem einzigen Wort, das man liest, wenn er schweigt: Verrat. Das ist der Alptraum, der mich jeden Tag im Zimmer deines Sohnes erwartet.
DER VATER: Das ist unser aller Alptraum, Tag und Nacht. *Schweigen.*

JOHANNA: Darf ich dir eine Frage stellen? *Auf ein Zeichen des Vaters hin.* Was habe ich mit dieser Geschichte zu tun? Warum hast du mich da hineingezogen?

DER VATER *sehr trocken:* Du verlierst den Verstand, liebe Schwiegertochter: es war d e i n Entschluß, dich einzumischen.

JOHANNA: Woher wußtest du, daß ich mich dazu entschließen würde?

DER VATER: Ich wußte es nicht.

JOHANNA: Lüge nicht! Du – der mir meine Lügen vorwirft. Lüge auf jeden Fall nicht zu schnell; sechs Tage, das ist lang, du hast mir Zeit gelassen, nachzudenken. *Pause.* Der Familienrat wurde nur meinetwegen abgehalten.

DER VATER: Nein, mein Kind, wegen Werner.

JOHANNA: Werner? Pah! Du greifst ihn an, damit ich ihn verteidige. I c h kam auf die Idee, mit Franz zu sprechen, das gebe ich zu. Oder vielmehr, ich habe ihn entdeckt: du hattest ihn hier versteckt und lenktest mich so geschickt, daß die Idee mir zwangsläufig kommen mußte. Ist das nicht so?

DER VATER: Ich wünschte tatsächlich, daß du meinem Sohn begegnest, aus Gründen, die du sehr gut kennst.

JOHANNA *mit Nachdruck:* Aus Gründen, die ich nicht kenne. *Pause.* Als du uns gegenüberstelltest, mich, die weiß, und ihn, der nicht wissen will – hast du mich gewarnt, daß ein Wort genügte, ihn zu töten?

DER VATER *würdevoll:* Johanna, ich weiß nichts über meinen Sohn.

JOHANNA: Nichts – außer daß er fliehen will und daß wir ihm mit unseren Lügen dabei helfen. Geh doch! Du spielst ja nur deine Rolle: ich sage dir, daß ein Wort genügt, ihn zu töten, und du reagierst nicht einmal darauf.

DER VATER *lächelnd:* Welches denn, mein Kind?

JOHANNA *lacht ihm ins Gesicht:* Überfluß.

DER VATER: Wie bitte?

JOHANNA: Dieses oder irgendein anderes, das zum Ausdruck bringt, wir sind die reichste Nation Europas. *Pause.* Du scheinst nicht sehr erstaunt.

DER VATER: Ich bin es auch nicht. Vor zwölf Jahren, da habe ich die Befürchtungen meines Sohnes verstanden, weil ihm manche Dinge entgangen waren. Er glaubte, man wolle Deutschland vernichten, und hat sich zurückgezogen, um nicht an unserer Ausrottung teilzuhaben. Hätte man ihm damals die Zukunft enthüllen können, wäre er augenblicklich gesund geworden. Heute wird die Rettung schwieriger sein: er hat Gewohnheiten angenommen, Leni verwöhnt ihn, das mönchische Leben hat gewisse Bequemlichkeiten. Aber nur keine Angst: das einzige Mittel gegen seine Krankheit ist die Wahrheit. Zuerst wird er mürrisch sein, weil ihr ihm die Gründe nehmt, sich in seinen Kummer zu vergraben, und dann, nach einer Woche, wird er der erste sein, der es euch dankt.

JOHANNA *heftig:* Solche Albernheiten! *Brutal.* Ich habe ihn gesehen, genügt dir das nicht?

DER VATER: Nein.

JOHANNA: Da oben ist Deutschland ausgestorbener als der Mond. Wenn ich es wiedererwecke, schießt er sich eine Kugel in den Mund.

DER VATER *lachend:* Denkst du!

JOHANNA: Ich sage dir, das ist so!

DER VATER: Er liebt sein Vaterland nicht mehr?

JOHANNA: Er betet es an.

DER VATER: Na also! Wo bleibt da der gesunde Menschenverstand, Johanna?

JOHANNA: Oh! Von dem ist nicht die Rede. *Lacht etwas irr.* Gesunder Menschenverstand! Darin steckt er! *Auf den Vater zeigend.* In diesem Kopf da. In meinem sind nur seine Augen. *Pause.* Halte nur alles auf. Deine Höllenmaschine wird dir in den Händen explodieren!

DER VATER: Ich kann nichts aufhalten.

JOHANNA: Also werde ich gehen, ohne ihn wiederzusehen, und für immer. Was die Wahrheit angeht, ich werde sie schon sagen, sei beruhigt. Aber nicht zu Franz. Zu Werner.

DER VATER *lebhaft:* Nein! *Er faßt sich.* Du wirst ihm damit nur weh tun.

JOHANNA: Tue ich ihm etwa nicht weh, seit Sonntag? *Man hört in der Ferne ein Autosignal.* Das ist er: in einer Viertelstunde wird er alles wissen.

DER VATER *gebieterisch:* Warte! *Sie bleibt stehen, zum Schweigen gebracht. Er geht zur Tür, nimmt das Taschentuch ab und dreht den Schlüssel um, dann wendet er sich Johanna zu.* Ich mache dir einen Vorschlag. *Sie bleibt stumm und starr. Pause.* Sage deinem Mann nichts. Geh noch ein letztes Mal zu Franz und sage ihm, daß ich ihn um eine Unterredung bitte. Wenn er annimmt, entbinde ich Werner von seinem Eid, und ihr geht beide, wann ihr wollt. *Schweigen.* Johanna! Ich biete dir die Freiheit an.

JOHANNA: Ich weiß.

Das Auto fährt in den Park ein.

DER VATER: Nun?

JOHANNA: Nicht um diesen Preis.

DER VATER: Um welchen Preis?
JOHANNA: Den Tod von Franz.
DER VATER: Mein liebes Kind! Was du nur denkst? Ich glaube, Leni zu hören.
JOHANNA: Du hörst sie. Wir sind Zwillingsschwestern. Wundere dich nicht, du hast uns dazu gemacht. Und wenn alle Frauen der Welt durch das Zimmer deines Sohnes gingen, es würden ebensoviel Lenis daraus hervorgehen, die sich gegen dich wenden. *Bremsen. Das Auto hält vor der Terrasse.*
DER VATER: Ich bitte dich, entscheide noch nichts! Ich verspreche dir ...
JOHANNA: Überflüssig. Wenn du bezahlte Mörder willst, wende dich an das starke Geschlecht.
DER VATER: Du wirst Werner alles sagen?
JOHANNA: Ja.
DER VATER: Sehr gut. Und wenn ich Leni alles sage?
JOHANNA *bestürzt und erschreckt:* Leni? – Du?
DER VATER: Warum nicht? Das ganze Haus würde in die Luft fliegen.
JOHANNA *am Rande eines Nervenzusammenbruchs:* Laß das Haus doch in die Luft fliegen! Laß den ganzen Planeten in die Luft fliegen! Dann haben wir endlich Ruhe. *Ein Lachen, zunächst tief und düster, das gegen ihren Willen anschwillt.* Ruhe! Ruhe! Ruhe! *Das Geräusch von Schritten im Korridor. Der Vater geht rasch zu Johanna, packt sie brutal an den Schultern und schüttelt sie, während er sie ins Auge faßt. Johanna kann sich endlich beruhigen. Der Vater entfernt sich von ihr im gleichen Augenblick, in dem die Tür sich öffnet.*

3. SZENE

Dieselben, Werner

WERNER *tritt eilig ein und sieht den Vater:* Sieh mal an!
DER VATER: Guten Tag, Werner.
WERNER: Guten Tag, Vater. Bist du mit deiner Reise zufrieden?
DER VATER: Ha! *Er reibt sich unbewußt die Hände.* Zufrieden, ja. Zufrieden. Vielleicht sogar sehr zufrieden.
WERNER: Du wolltest mich sprechen.
DER VATER: Dich? Keineswegs. Ich gehe jetzt, liebe Kinder. *An der Tür.* Johanna, mein Vorschlag gilt noch immer. *Er geht hinaus.*

4. SZENE

Johanna, Werner

WERNER: Welcher Vorschlag?

JOHANNA: Das werde ich dir gleich sagen.

WERNER: Ich sehe es nicht gern, daß er sich hier herumdrückt. *Er holt aus einem Schrank eine Flasche Sekt und zwei Gläser, stellt die Gläser auf den Schreibtisch und beginnt, die Flasche zu öffnen.* Sekt?

JOHANNA: Nein.

WERNER: Sehr gut. Dann trinke ich allein. *Johanna entfernt die Gläser.*

JOHANNA: Nicht heute abend, ich habe dich nötig.

WERNER: Das überrascht mich. *Er sieht sie an. Unvermittelt.* Auf jeden Fall wird das mich nicht daran hindern zu trinken. *Er läßt den Korken springen. Johanna stößt einen leichten Schrei aus. Werner beginnt zu lachen, füllt die beiden Gläser und sieht sie an.* Sieh mal an, du hast ja Angst!

JOHANNA: Ich bin nervös.

WERNER *mit einer Art Befriedigung:* Ich sage dir, du hast Angst. *Pause.* Vor wem? Vor Vater?

JOHANNA: Vor ihm auch.

WERNER: Und du willst, daß ich dich beschütze? *Grinst höhnisch, aber etwas weniger angespannt.* Die Rollen sind vertauscht. *Er leert sein Glas mit einem Zug.* Erzähl mir deine Sorgen. *Pause.* Ist es denn so schlimm? Komm doch! *Sie rührt sich nicht. Er zieht sie an sich, sie bleibt starr.* Lege deinen Kopf auf meine Schulter. *Er biegt fast gewaltsam Johannas Kopf. Pause. Er betrachtet sich im Spiegel und lächelt.* So, jetzt herrscht wieder Ordnung. *Ein entspanntes Schweigen.* Sprich, mein Liebling.

JOHANNA *hebt den Kopf, um ihn anzuschauen:* Ich war bei Franz.

WERNER *stößt sie zornig zurück:* Franz! *Er kehrt ihr den Rücken zu, geht zum Schreibtisch, schenkt sich ein zweites Glas Sekt ein, trinkt einen Schluck, bedächtig, und wendet sich ihr wieder zu, ruhig lächelnd.* Um so besser! Nun kennst du die ganze Familie. *Sie sieht ihn an, fassungslos.* Wie findest du ihn, meinen älteren Bruder, ein Mann wie ein Schrank, was? *Noch immer bestürzt, schüttelt sie den Kopf.* Sieh mal an! *Belustigt.* Sieh mal an! Er wird doch nicht schwächlich geworden sein? *Mühsam versucht sie zu sprechen.* Nun?

JOHANNA: Du bist größer als er.

WERNER *wie eben:* Ha! Ha! *Pause.* Und seine schöne Offiziersuniform? Trägt er sie noch immer?

JOHANNA: Sie ist nicht mehr schön.

WERNER: In Fetzen? Aber sag mir doch, der arme Franz ist wohl sehr mitgenommen. *Starres Schweigen Johannas. Er nimmt sein Glas.* Auf seine Genesung. *Er hebt sein Glas, dann bemerkt er, daß Johannas Hände leer sind, holt das andere Glas und hält es ihr hin.* Stoßen wir an! *Sie zögert. Gebieterisch.* Nimm dieses Glas. *Sie verhärtet sich und nimmt das Glas.*

JOHANNA *herausfordernd:* Ich trinke auf Franz! *Sie will mit Werner anstoßen; er zieht sein Glas schnell zurück. Sie sehen sich einen Augenblick an, beide verwirrt. Dann bricht Werner in Lachen aus und gießt den Inhalt seines Glases auf den Boden.*

WERNER *fröhlich und impulsiv:* Das ist nicht wahr! Das ist nicht wahr! *Johanna ist bestürzt. Er geht auf sie zu.* Du hast ihn nie gesehen. Keinen Augenblick habe ich dir das geglaubt. *Lacht ihr ins Gesicht.* Und der Riegel, mein Kleines? Und die Eisenstange? Sie haben ein Signal, dessen sei sicher.

JOHANNA *hat ihre eisige Haltung wieder angenommen:* Sie haben eins. Ich kenne es.

WERNER *noch immer lachend:* Wie denn! Du hast doch nicht etwa Leni gefragt!

JOHANNA: Ich habe Vater gefragt.

WERNER *verblüfft:* Ah! *Langes Schweigen. Er geht zum Schreibtisch, setzt sein Glas ab und überlegt. Er wendet sich zu Johanna, er hat seine joviale Art bewahrt, aber man spürt, daß es ihn große Anstrengung kostet, sich zu beherrschen.* Na gut! Das mußte kommen. *Pause.* Vater tut nichts umsonst: was für ein Interesse hat er an dieser Geschichte?

JOHANNA: Das würde ich gerne wissen.

WERNER: Was hat er dir vorhin vorgeschlagen?

JOHANNA: Er entbindet dich von deinem Eid, wenn Franz ihm eine Unterredung gewährt.

WERNER *ist düster und mißtrauisch geworden, sein Mißtrauen wächst mit den folgenden Antworten:* Eine Unterredung . . . Und Franz wird sie gewähren?

JOHANNA *mit Sicherheit:* Ja.

WERNER: Und dann?

JOHANNA: Nichts. Wir werden frei sein.

WERNER: Frei, was zu tun?

JOHANNA: Fortzugehen.

WERNER *mit trockenem und hartem Lachen:* Nach Hamburg?

JOHANNA: Wohin wir wollen.

WERNER *ebenso:* Großartig! *Hartes Lachen.* Na gut, meine liebe Frau, das ist der härteste Fußtritt, den ich in meinem ganzen Leben bekommen habe.

JOHANNA *verblüfft:* Werner, der Vater denkt keinen einzigen Augenblick an ...

WERNER: An seinen jüngsten Sohn? Ganz gewiß nicht. Franz wird meinen Schreibtisch übernehmen, sich in meinen Sessel setzen und meinen Sekt trinken, er wird seine Austernschalen unter mein Bett werfen. Und davon abgesehen, wer denkt schon an mich? Zähle ich denn überhaupt? *Pause.* Der Alte hat seine Meinung geändert: das ist alles.

JOHANNA: Aber verstehst du denn noch immer nicht?

WERNER: Ich verstehe, daß er meinen Bruder an die Spitze des Unternehmens stellen will. Und ich verstehe auch, daß du ihnen ganz freiwillig als Hilfe dabei gedient hast: wenn du mich nur hier herausreißen kannst, dann ist es dir ganz gleich, ob man mir dabei Fußtritte versetzt. *Johanna betrachtet ihn kalt. Sie läßt ihn fortfahren, ohne auch nur den Versuch zu machen, sich zu erklären.* Man zerstört meine Karriere als Rechtsanwalt, um mich in diesem entsetzlichen Gemäuer zwischen lieben Kindheitserinnerungen unter Bewachung zu setzen; eines schönen Tages willigt der verlorene Sohn ein, sein Zimmer zu verlassen, man schlachtet das fette Kalb, man wirft mich hinaus, und alle sind's zufrieden, bei meiner Frau angefangen! Eine großartige Geschichte, nicht wahr? Du wirst sie erzählen: in Hamburg. *Er geht zum Schreibtisch, gießt sich ein Glas Sekt ein und trinkt. Seine Trunkenheit — leicht, aber spürbar — nimmt bis zum Ende des Aktes ständig zu.* Du wirst gut tun, mit dem Kofferpacken noch etwas zu warten. Denn, weißt du, ich frage mich, ob ich mir das alles gefallen lassen soll. *Mit Kraft:* Ich habe das Unternehmen, ich behalte es; man wird sehen, was ich wert bin. *Er geht und setzt sich an seinen Schreibtisch. Mit ruhiger, gehässiger Stimme und einem Unterton von Wichtigkeit.* Und nun geh: ich muß nachdenken. *Pause.*

JOHANNA *ohne sich zu beeilen, mit kalter und ruhiger Stimme:* Es geht nicht um das Unternehmen: niemand macht es dir streitig.

WERNER: Niemand, außer meinem Vater und seinem Sohn.

JOHANNA: Franz wird niemals die Werft leiten.

WERNER: Weil? ...

JOHANNA: Er das nicht will.

WERNER: Er will es nicht oder er kann es nicht?

JOHANNA *widerwillig:* Beides. *Pause.* Und Vater weiß es.

WERNER: Aber?

JOHANNA: Aber ehe er stirbt, will er Franz noch einmal sehen.

WERNER *etwas erleichtert, aber argwöhnisch:* Das ist verdächtig.

JOHANNA: Sehr verdächtig. Aber es betrifft dich nicht. *Werner erhebt sich und geht auf sie zu. Er sieht ihr in die Augen, sie hält seinem Blick stand.*

WERNER: Ich glaube dir. *Er trinkt. Johanna wendet den Kopf ab, mit gespannten Nerven.* Ein Unfähiger! *Er lacht.* Und ein Schwächling obendrein. Am Sonntag sprach Vater von ungesundem Fett.

JOHANNA *lebhaft:* Franz ist nur Haut und Knochen.

WERNER: Ja. Mit einem kleinen Bauch, wie alle Gefangenen. *Er betrachtet sich im Spiegel und streckt den Bauch vor, fast unbewußt.* Unfähig. Zerlumpt. Halb verrückt. *Er wendet sich zu Johanna.* Du hast ihn . . . oft gesehen?

JOHANNA: Täglich.

WERNER: Ich frage mich, was ihr euch wohl zu sagen habt. *Er geht mit neugewonnener Sicherheit auf und ab.* «Keine Familie ohne Makel.» Ich weiß nicht mehr, wer das gesagt hat. Schrecklich, aber wahr, hm? Nur, daß ich bisher geglaubt habe, der Makel, das sei ich. *Legt die Hände auf Johannas Schultern.* Danke, liebe Frau: du hast mich davon befreit. *Er geht sein Glas holen, sie hält ihn zurück.* Du hast recht: keinen Sekt mehr! *Er fegt die beiden Gläser mit der Hand weg. Sie fallen herunter und zersplittern.* Man bringe ihm ein paar Flaschen mit Grüßen von mir. *Er lacht.* Und du, du wirst ihn nicht mehr besuchen: ich verbiete es dir.

JOHANNA *noch immer eisig:* Gut. Bring mich von hier fort.

WERNER: Ich sage dir doch, daß du mich befreit hast. Ich habe mir falsche Vorstellungen gemacht, weißt du. Von jetzt an wird alles gutgehen.

JOHANNA: Nicht für mich.

WERNER: Nein? *Er betrachtet sie, sein Gesicht verändert sich, sein Rücken krümmt sich leicht.* Selbst wenn ich dir schwöre, daß ich mich von Grund auf ändere und sie alle auf Gleichschritt bringen werde?

JOHANNA: Selbst dann.

WERNER *barsch:* Du hast mit ihm geschlafen! *Trockenes Lachen.* Sag schon, ich bin dir deshalb nicht böse: er braucht nur zu pfeifen, scheint mir, und schon fallen die Frauen auf den Rücken. *Er sieht sie böse an.* Ich habe dich etwas gefragt.

JOHANNA *sehr hart:* Ich werde es dir nie verzeihen, wenn du mich zwingst, darauf zu antworten.

WERNER: Verzeihe nicht, aber antworte.

JOHANNA: Nein.

WERNER: Du hast nicht mit ihm geschlafen. Gut! Aber du stirbst vor Verlangen, es zu tun.

JOHANNA *ohne Aufwand, aber mit einer Art Haß:* Du bist gemein.

WERNER *lächelnd und böse:* Ich bin ein Gerlach. Antworte.

JOHANNA: Nein.

WERNER: Also, was hast du zu befürchten?

JOHANNA *noch immer eisig:* Bevor ich dich kannte, zogen mich Tod und Wahnsinn an. Da oben beginnt das wieder. Ich will es nicht. *Pause.* Seine Krabben, ich glaube mehr an sie als er.

WERNER: Weil du ihn liebst.

JOHANNA: Weil sie wahr sind. Narren sprechen die Wahrheit, Werner.

WERNER: Wirklich. Welche Wahrheit?

JOHANNA: Es gibt nur eine: das Entsetzen zu leben. *Wieder mit Wärme.* Ich will nicht! Ich will nicht! Ich will mich lieber belügen. Wenn du mich liebst, rette mich. *Mit einer Handbewegung an die Zimmerdecke.* Das da oben zermalmt mich. Bring mich fort, in eine Stadt, wo alles jedem gehört, wo jeder sich belügt, mit Wind, Wind, der von weit her kommt. Wir werden uns wiederfinden, Werner, ich schwöre es dir!

WERNER *mit plötzlicher und wilder Heftigkeit:* Uns wiederfinden? Ha! Und wie sollte ich dich verloren haben, Johanna? Ich habe dich niemals besessen. Ich hatte nur mit deiner Fürsorge zu tun. Du hast mich mit der Ware betrogen! Ich wollte eine Frau, und habe nur ihren Kadaver besessen. Was tut's, wenn du verrückt wirst: wir bleiben hier! *Er äfft sie nach.* «Rette mich! Verteidige mich!» Wie denn? Vielleicht abhauen? *Er beherrscht sich. Böses und kaltes Lächeln.* Ich habe mich gehenlassen. Verzeih! Du wirst alles tun, mir eine gute Ehefrau zu sein: das ist die Rolle deines Lebens. Aber das Vergnügen wird nur auf deiner Seite sein. *Pause.* Wie weit muß man gehen, damit du meinen Bruder vergißt? Wie weit werden wir fliehen? Züge, Flugzeuge, Schiffe: welche Umstände und welche Mühsal. Du wirst alles aus diesen leeren Augen anschauen: eine Luxusgeschädigte, das wird dich nicht verändern. Und ich? Hast du dich schon einmal gefragt, was ich während dieser Zeit denken werde? Daß ich mich im voraus geschlagen gegeben habe und daß ich geflohen bin, ohne einen Finger zu rühren. Ein Feigling, ha, ein Feigling: so liebst du mich also, du könntest mich trösten. Mütterlich. *Mit Nachdruck.* Wir bleiben hier! Bis einer von uns dreien krepiert: du, mein Bruder oder ich.

JOHANNA: Wie du mich verabscheust!

WERNER: Ich werde dich erst lieben, wenn ich dich erobert habe. Und ich werde mich schlagen, sei beruhigt. *Er lacht.* Ich werde gewinnen: ihr liebt nur die Kraft, ihr Frauen. Und die Kraft, die habe i c h. *Er faßt sie um die Taille und küßt sie brutal. Sie schlägt mit geballten Fäusten auf ihn ein, macht sich frei und beginnt zu lachen.*

JOHANNA *laut auflachend:* Oh! Werner, glaubst du, daß er beißt?

WERNER: Wer? Franz?

JOHANNA: Der Haudegen, dem du gleichen willst. *Pause.* Wenn wir bleiben, werde ich täglich zu deinem Bruder gehen.

WERNER: Ich rechne damit. Und jede Nacht wirst du in m e i n e m Bett verbringen. *Er lacht.* Die Vergleiche stellen sich von selbst.

JOHANNA *langsam und traurig:* Armer Werner! *Sie geht zur Tür.*

WERNER *plötzlich ratlos:* Wohin gehst du?

JOHANNA *mit verlorenem, bösem Lachen:* Ich gehe vergleichen. *Sie öffnet die Tür und geht hinaus, ohne daß er eine Bewegung macht, sie zurückzuhalten.*

ENDE DES DRITTEN AKTES

VIERTER AKT

Das Zimmer von Franz. Gleiches Bühnenbild wie im zweiten Akt. Aber alle Schilder sind verschwunden. Nur das Hitlerporträt ist noch vorhanden. Noch mehr Austernschalen auf dem Boden. Auf dem Tisch eine Schreibtischlampe.

1. SZENE

Franz

FRANZ *allein:* Maskierte Bewohner der Zimmerdecke, Achtung! Maskierte Bewohner der Zimmerdecke, Achtung! *Schweigen. Zur Decke gewendet.* He? *Zwischen den Zähnen hervor.* Ich spüre sie nicht. *Laut.* Kameraden! Kameraden! Hier spricht Deutschland, das gemarterte Deutschland! *Pause. Entmutigt.* Das Publikum ist erstarrt. *Er steht auf und marschiert herum.* Seltsamer, aber nicht kontrollierbarer Eindruck: heute abend wird die Geschichte stillstehen. Zack! Die Explosion des ganzen Planeten steht auf dem Programm, die Wissenschaftler haben den Finger auf dem Knopf, adieu! *Pause.* Man würde trotzdem gerne wissen, was aus der menschlichen Spezies geworden ist, falls sie es überlebt. *Gereizt, fast heftig.* Ich spiele die Hure, um ihnen zu gefallen, und sie hören nicht einmal zu. *Mit Wärme.* Verehrte Hörer, ich flehe Sie an, wenn ich Ihr Ohr nicht mehr habe, wenn falsche Zeugen Sie umgarnt haben ... *Plötzlich.* Warte! *Er wühlt in seiner Tasche.* Hier ist der Schuldige. *Er zieht eine Armbanduhr hervor und hält sie am äußersten Ende des Lederarmbandes, voller Abscheu.* Man hat mir dieses Tier geschenkt, und ich habe den Fehler begangen, es anzunehmen. *Er betrachtet sie.* Fünfzehn Minuten! Man hat fünfzehn Minuten Verspätung! Unzulässig. Ich, ich werde diese Uhr zerschmettern. *Er nimmt sie in die Faust.* Fünfzehn Minuten! Jetzt schon sechzehn. *Erregt.* Wie soll ich meine säkulare Geduld beweisen, wenn man mich durch Nadelstiche herausfordert? Alles wird sehr schlimm enden. *Pause.* Ich werde nicht aufmachen: das ist ganz einfach; ich werde sie zwei volle Stunden auf dem Treppenabsatz stehen lassen. *Es klopft dreimal. Er beeilt sich und öffnet.*

Franz, Johanna

FRANZ *tritt zurück, damit Johanna eintreten kann:* Siebzehn! *Er zeigt mit dem Finger auf die Armbanduhr.*

JOHANNA: Bitte?

FRANZ *mit der Stimme einer Zeitansage:* Vier Uhr siebzehn Minuten dreißig Sekunden. Hast du mir das Photo von meinem Bruder mitgebracht? *Pause.* Nun?

JOHANNA *widerwillig:* Ja.

FRANZ: Zeig es mir.

JOHANNA *wie zuvor:* Was willst du damit machen?

FRANZ *lacht anmaßend:* Was macht man schon mit einem Photo?

JOHANNA *nach einem Zögern:* Da ist es.

FRANZ *betrachtet es:* So, so, ich hätte ihn nicht wiedererkannt. Er ist ja ein Athlet! Gratuliere! *Er steckt das Photo in die Tasche.* Und was machen unsere Waisenkinder?

JOHANNA *verwirrt:* Welche Waisenkinder?

FRANZ: Na, die in Düsseldorf!

JOHANNA: Ach ja ... *Barsch.* Sie sind tot.

FRANZ *zur Decke:* Krabben, es waren siebenhundert. Siebenhundert arme Gören ohne Dach über dem Kopf ... *Er bleibt stehen.* Meine liebe Freundin, ich pfeife auf diese Waisenkinder. Man soll sie so schnell wie möglich begraben! Gute Beerdigung! *Pause.* Sieh mich an! Das bin ich durch deine Schuld geworden: Ein schlechter Deutscher.

JOHANNA: Durch meine Schuld?

FRANZ: Ich hätte wissen müssen, daß sie alles durcheinanderbringt. Um die Zeit aus diesem Zimmer zu vertreiben, habe ich fünf Jahre gebraucht; um sie wieder hereinzubringen, brauchtest du nur einen Augenblick. *Er zeigt auf die Armbanduhr.* Dieses Schmeicheltier, das um mein Handgelenk schnurrt und das ich in die Tasche stopfe, wenn ich Leni klopfen höre, ist die Zeit des Universums, meine Gnädigste, die Zeit der Zeitansage, der Normaluhren und der Observatorien. Aber was soll ich damit anfangen? Bin ich denn etwa universal? *Betrachtet die Uhr.* Ich finde dieses Geschenk verdächtig.

JOHANNA: Gut, gib sie mir zurück!

FRANZ: Keineswegs! Ich behalte sie. Ich frage mich nur, warum du sie mir gegeben hast.

JOHANNA: Weil ich noch lebe, genau wie du lebst.

FRANZ: Was ist das, leben? Auf dich warten? Vor tausend Jahren erwartete ich nichts mehr. Diese Lampe erlischt nicht; Leni kommt, wann sie will; ich schlief auf gut Glück, wenn der Schlaf mich überkam: mit einem Wort, ich wußte nie die Stunde. *Humorvoll.* Jetzt ist das ein Durcheinanderwerfen von Tag und Nacht. *Blickt auf die Uhr.* Vier Uhr fünfundzwanzig: der Schatten wird länger, der Tag verblaßt: ich hasse die Nachmittage. Wenn du gehst, wird es Nacht sein: hier, in voller Klarheit! Und ich werde Angst haben. *Unvermittelt.* Die armen Kleinen, wann wird man sie in die Erde betten?

JOHANNA: Montag, glaube ich.

FRANZ: Man müßte eine erleuchtete Kapelle haben, unter freiem Himmel, in den Ruinen der Kirche. Siebenhundert kleine Särge, bewacht von einer Menge in Lumpen! *Er sieht sie an.* Du hast dich nicht geschminkt?

JOHANNA: Wie du siehst.

FRANZ: Vergessen?

JOHANNA: Nein. Ich wollte eigentlich nicht kommen.

FRANZ *heftig:* Was?

JOHANNA: Es ist Werners Tag. *Pause.* Nun ja: Samstag eben.

FRANZ: Wozu braucht er einen Tag, er hat dich jede Nacht. Samstag? . . . Ach ja: Fünftagewoche. *Pause.* Und den Sonntag auch, natürlich!

JOHANNA: Natürlich.

FRANZ: Wenn ich dich recht verstehe, haben wir heute Samstag. Ah, meine Gnädigste, die Uhr zeigt das nicht an: Sie müssen mir einen Kalender schenken. *Er kichert höhnisch, dann unvermittelt.* Zwei Tage ohne dich? Unmöglich.

JOHANNA: Glaubst du, ich werde meinen Mann um die einzigen Augenblicke bringen, die wir zusammen leben können?

FRANZ: Warum nicht? *Sie lacht, ohne ihm zu antworten.* Hat er ein Recht auf dich? Es tut mir leid, aber ich habe es, ich auch.

JOHANNA *etwas heftig:* Du? Nein. Nicht das geringste.

FRANZ: Habe ich dich aufgesucht? *Schreiend.* Wann wirst du endlich verstehen, daß dieses erbärmliche Warten mich von meiner Pflicht abhält. Die Krabben sind ratlos, sie sind mißtrauisch: die falschen Zeugen triumphieren. *Wie eine Schmähung.* Dalila!

JOHANNA *bricht in ein böses Lachen aus:* Puh! *Sie geht auf ihn zu und betrachtet ihn unverschämt.* Und das ist Samson? *Lacht aufs neue.* Samson! Samson! *Hört auf zu lachen.* Den habe ich mir anders vorgestellt.

FRANZ *mit unheimlicher Stimme:* Ich bin es. Ich trage die Jahrhunderte auf meinen Schultern; wenn ich mich wieder aufrichte, stürzen sie zusammen. *Pause. Mit natürlicher Stimme und bitterer Ironie.* Übrigens war er ein armer Mensch, davon bin ich überzeugt. *Er marschiert durchs Zimmer.* Diese Abhängigkeit. *Schweigen. Er setzt sich.* Gnädige Frau, Sie genieren mich. *Pause.*

JOHANNA: Ich werde dich nicht mehr genieren.

FRANZ: Was hast du getan?

JOHANNA: Ich habe Werner alles gesagt.

FRANZ: So? Warum denn?

JOHANNA *bitter:* Das frage ich mich.

FRANZ: Er hat die Sache gut aufgenommen?

JOHANNA: Er hat sie sehr schlecht aufgenommen.

FRANZ *unruhig, nervös:* Er verläßt uns? Er nimmt dich mit?

JOHANNA: Er bleibt hier.

FRANZ *wieder beruhigt:* Das ist gut. *Er reibt sich die Hände.* Das ist sehr gut.

JOHANNA *mit bitterer Ironie:* Und du läßt mich nicht aus den Augen! Aber was siehst du? *Sie kommt näher, nimmt seinen Kopf in ihre Hände und zwingt ihn, sie anzusehen.* Sieh mich an. Ja. So. Jetzt wage zu sagen, daß alles gut ist.

FRANZ *sieht sie an und macht sich frei:* Ich sehe, ja, ich sehe! Du vermißt Hamburg. Das gute Leben. Die Bewunderung der Männer und ihr Begehren. *Hebt die Schultern.* Das ist deine Sache.

JOHANNA *traurig und hart:* Samson war nichts als ein armer Mensch.

FRANZ: Ja. Ja. Ja. Ein armer Mensch. *Er fängt an, seitlich zu gehen.*

JOHANNA: Was machst du da?

FRANZ *mit rauher, brüchiger und tiefer Stimme:* Ich spiele Krabbe. *Verdutzt über das, was er eben gesagt hat.* Wie? Was? *Kommt zu Johanna zurück, mit normaler Stimme.* Warum bin ich ein armer Mensch?

JOHANNA: Weil du nichts verstehst. *Pause.* Wir werden die Hölle haben.

FRANZ: Wer?

JOHANNA: Werner, du und ich. *Kurzes Schweigen.* Er bleibt hier aus Eifersucht.

FRANZ *verblüfft:* Was?

JOHANNA: Aus Eifersucht, ist das klar? *Pause. Hebt die Schultern.* Du weißt ja nicht einmal, was das ist. *Franz lacht.* Er wird mich jeden Tag zu dir schicken, sogar am Sonntag. Er wird sich martern, auf der Werft, an seinem großen Diplomatenschreibtisch. Und am Abend werde ich dafür bezahlen.

FRANZ *ehrlich überrascht:* Ich bitte um Verzeihung, liebe Freundin. Aber auf w e n ist er eifersüchtig? *Sie hebt die Schultern. Er zieht das Photo hervor und betrachtet es.* Auf mich? *Pause.* Hast du ihm gesagt . . . was aus mir geworden ist?

JOHANNA: Ich habe es ihm gesagt.

FRANZ: Nun, und?

JOHANNA: Nun ja, er ist eifersüchtig.

FRANZ: Das ist pervers. Ich bin ein Kranker, ein Verrückter vielleicht; ich verberge mich. Der Krieg hat mich zerbrochen, meine Gnädigste.

JOHANNA: Deinen Stolz hat er nicht zerbrochen.

FRANZ: Und das genügt, ihn auf mich eifersüchtig zu machen?

JOHANNA: Ja.

FRANZ: Sag ihm, mein Stolz ist in Scherben. Sag ihm, daß ich aufschneide, um mich zu verteidigen. Halt; ich werde mich bis zum äußersten erniedrigen: sag Werner, daß ich eifersüchtig bin.

JOHANNA: Auf ihn?

FRANZ: Auf seine Freiheit, seine Muskeln, sein Lächeln, seine Frau, sein gutes Gewissen. *Pause.* Ein guter Balsam für seine Eigenliebe, wie?

JOHANNA: Er wird mir nicht glauben.

FRANZ: Dann eben nicht. *Pause.* Und du?

JOHANNA: Ich?

FRANZ: Glaubst du mir?

JOHANNA *unsicher, gereizt:* Aber nein.

FRANZ: Gnädige Frau, mir sind Indiskretionen anvertraut worden, ich bin Minute für Minute über Ihr Privatleben unterrichtet.

JOHANNA *hebt die Schultern:* Leni belügt dich.

FRANZ: Leni spricht nie von dir. *Zeigt auf seine Uhr.* Das ist die Schwätzerin: sie erzählt alles. Seit du mich verlassen hast, plappert sie: acht Uhr dreißig, Familie beim Abendessen; zehn Uhr, jeder zieht sich zurück, tête à tête mit deinem Mann. Elf Uhr, nächtliche Toilette, Werner geht zu Bett, du nimmst ein Bad. Mitternacht, du kommst in sein Bett.

JOHANNA *dreistes Lachen:* In sein Bett? *Pause.* Nein.

FRANZ: Doppelbetten?

JOHANNA: Ja.

FRANZ: In welchem von beiden schlaft ihr denn miteinander?

JOHANNA *aufgebracht und herausfordernd:* Mal in dem einen, mal im anderen.

FRANZ *knurrend:* Hm! *Er betrachtet das Photo.* Achtzig Kilo! Er muß dich ja erdrücken, der Athlet. Hast du das gern?

JOHANNA: Wenn ich ihn gewählt habe, dann deshalb, weil ich die Athleten den Schwächlingen vorziehe.

FRANZ *betrachtet das Photo knurrend, steckt es dann in die Tasche:* Seit sechzig Stunden habe ich kein Auge zugemacht.

JOHANNA: Warum?

FRANZ: Ich werde dich hindern, mit ihm zu schlafen, während ich schlafe.

JOHANNA *trockenes Lachen:* Na gut, dann schlafe eben nicht mehr!

FRANZ: Das ist meine Absicht. Heute nacht, wenn er dich nimmt, wirst du wissen, daß ich wache.

JOHANNA *heftig:* Es tut mir leid, aber ich werde dich dieser schmutzigen einsamen Vergnügungen berauben. Schlafe ruhig heute nacht: Werner wird mich nicht anrühren.

FRANZ *verwirrt:* Ach!

JOHANNA: Das enttäuscht dich?

FRANZ: Nein.

JOHANNA: Er wird mich nicht anrühren, solange wir durch seine Schuld hierbleiben. *Pause.* Weißt du, was er sich vorstellt? Daß du mich verführt hast. *Beleidigend.* Du! *Pause.* Wie ähnlich ihr seid!

FRANZ *zeigt das Photo:* Aber nein.

JOHANNA: Aber ja. Zwei Gerlachs, zwei abstrakte, zwei geistersehende Brüder! Was bin ich denn schon, ich? Nichts: ein Marterwerkzeug. Jeder sucht an mir nach den Zärtlichkeiten des andern. *Nähert sich Franz.* Sieh dir diesen Körper an. *Sie nimmt seine Hand und zwingt ihn, sie auf ihre Schulter zu legen.* Früher, als ich unter Männern lebte, hatten sie keine schwarzen Messen nötig, um ihn zu begehren. *Sie tritt zurück und stößt ihn von sich. Unvermittelt.* Der Vater will dich sprechen.

FRANZ *sachlich:* So.

JOHANNA: Wenn du ihn empfängst, wird er Werner von seinem Eid entbinden.

FRANZ *ruhig und sachlich:* Und dann? Wirst du dann fortgehen?

JOHANNA: Das wird nur von Werner abhängen.

FRANZ *wie eben:* Du wünschst diese Unterredung?

JOHANNA: Ja.

FRANZ *ebenso:* Ich muß versprechen, dich nicht wiederzusehen?

JOHANNA: Natürlich.

FRANZ *ebenso:* Und was wird aus mir?

JOHANNA: Du wirst in deine Ewigkeit zurückkehren.

FRANZ: Gut. *Pause.* Geh und sage meinem Vater . . .

JOHANNA *unvermittelt:* Nein!

FRANZ: Wie?

JOHANNA *mit hitziger Heftigkeit:* Nein! Ich werde ihm nichts sagen.

FRANZ *kaltblütig, da er spürt, daß er gewonnen hat:* Ich muß ihm doch meine Antwort geben.

JOHANNA *wie eben:* Überflüssig; ich werde sie nicht übermitteln.

FRANZ: Warum hast du mir dann seine Bitte übermittelt?

JOHANNA: Das geschah wider Willen.

FRANZ: Wider Willen?

JOHANNA *ein kleines Lachen, den Blick noch von Haß erfüllt:* Stell dir vor, ich hatte Lust, dich zu töten.

FRANZ *liebenswürdig:* Oh! Seit längerer Zeit?

JOHANNA: Seit fünf Minuten.

FRANZ: Und es ist schon vorüber?

JOHANNA *lächelnd und ruhig:* Es bleibt das Verlangen, dir rechts und links eine herunterzuhauen. *Sie packt sein Gesicht mit beiden Händen. Er läßt es sich gefallen.* So. *Sie läßt die Hände wieder fallen und geht fort. Franz noch immer liebenswürdig.*

FRANZ: Fünf Minuten! Du hast Glück: mir wird das Verlangen, dich zu töten, die ganze Nacht bleiben. *Schweigen. Sie setzt sich auf das Bett und starrt ins Leere.*

JOHANNA *zu sich selbst:* Ich werde hier nicht wieder weggehen.

FRANZ *der ihr auflauert:* Nie mehr?

JOHANNA *ohne ihn anzusehen:* Nie mehr. *Sie läßt ein kleines, verwirrtes Lachen hören, sie öffnet die Hände, als ließe sie einen Gegenstand herausgleiten, und blickt auf seine Füße.*

Franz beobachtet sie und ändert seine Haltung: er wird wieder wahnsinnig und steif wie im 2. Akt.

FRANZ: Bleibe bei mir. Ganz und gar.

JOHANNA: In diesem Zimmer?

FRANZ: Ja.

JOHANNA: Ohne jemals hinauszugehen? *Franz nickt.* Eingeschlossen?

FRANZ: Du sagst es. *Er spricht, während er auf und ab geht. Johanna folgt ihm mit den Augen. Während er spricht, faßt sie sich und wird hart: sie begreift, daß Franz nur sein Delirium retten will.* Ich habe zwölf Jahre auf einem Eisdach über den Gipfeln zugebracht; ich hatte den ganzen wimmelnden Porzellanladen in die Nacht gestürzt.

JOHANNA *schon mißtrauisch:* Welchen Porzellanladen?

FRANZ: Die Welt, meine Gnädigste. Die Welt, in der du lebst. *Pause.* Dieses Freigepäck der Verderbnis lebt wieder auf. Durch dich: wenn du mich verläßt, bin ich von ihr umgeben, weil du in ihr bist. Du zermalmst mich zu Füßen der Sächsischen Schweiz, ich irre umher, in einem Jagdpavillon, fünf Meter über dem Meer. Das Wasser wird wiedergeboren in der Wanne, in der es deinen Leib umgibt. Jetzt fließt die Elbe, und das Grün wächst. Eine Frau ist eine Verräterin, meine Gnädigste.

JOHANNA *düster und verhärtet:* Wenn ich jemanden verrate, so nicht dich.

FRANZ: Doch mich! Auch mich, den Agenten für beide Seiten. Zwanzig Stunden täglich siehst du, fühlst du und denkst du mit allen anderen, unter meinen Sohlen: du unterwirfst mich den Gesetzen des Vulgären. *Pause.* Wenn ich dich unter Verschluß halte, ist absolute Ruhe: die Welt wird in ihre Abgründe zurückkehren, du wirst nur das sein, was du wirklich bist: *Zeigt auf sie.* Das! Die Krabben werden mir wieder Vertrauen schenken, und ich werde zu ihnen sprechen.

JOHANNA *ironisch:* Wirst du auch ab und zu mit mir sprechen?

FRANZ *an die Decke weisend:* Wir werden gemeinsam zu ihnen sprechen. *Johanna bricht in Lachen aus. Er sieht sie an. Verstört.* Du weigerst dich?

JOHANNA: Was gibt es da zu verweigern? Du erzählst mir einen Alptraum: ich höre zu. Das ist alles.

FRANZ: Du wirst Werner nicht verlassen?

JOHANNA: Ich habe dir gesagt, daß ich das nicht tue.

FRANZ: Dann verlasse mich. Hier ist das Photo deines Mannes. *Er gibt es ihr, sie nimmt es.* Und die Uhr – die wird genau beim vierten Gongschlag in die Ewigkeit einkehren. *Er löst das Armband und betrachtet das Zifferblatt.* «Gong!» *Er wirft sie zu Boden.* Von nun an wird es zu jeder Stunde vier Uhr dreißig sein. Als Erinnerung an Sie, gnädige Frau. Auf Wiedersehen. *Er geht zur Tür, entfernt den Riegel, hebt die Eisenstange. Langes Schweigen. Er verneigt sich und weist auf die Tür. Sie geht ohne Eile bis zum Eingang, legt den Riegel vor und senkt die Stange. Dann geht sie zu ihm zurück, ruhig und ohne Lächeln, mit echter Autorität.* Gut! *Pause.* Was wirst du tun?

JOHANNA: Was ich seit Montag tue: den Zuträger spielen. *Handbewegung.*

FRANZ: Und wenn ich nicht öffne?

JOHANNA *ruhig:* Du wirst öffnen. *Franz bückt sich, hebt die Uhr wieder auf und hält sie ans Ohr. Sein Gesicht und seine Stimme verändern sich: er spricht fast mit Wärme. Von dieser Antwort an entsteht für einen Augenblick ein echtes geheimes Einverständnis zwischen ihnen.*

FRANZ: Wir haben Glück: sie geht. *Sieht auf das Zifferblatt.* Vier Uhr einunddreißig; die Ewigkeit plus eine Minute. Dreht euch, dreht euch, Zeiger: man muß leben. *Zu Johanna.* Wie?

JOHANNA: Ich weiß nicht.

FRANZ: Wir werden drei rasende Verrückte sein.

JOHANNA: Vier.

FRANZ: Vier?

JOHANNA: Wenn du dich weigerst, ihn zu empfangen, wird der Vater Leni einweihen.

FRANZ: Dazu ist er imstande.

JOHANNA: Was wird er erreichen?

FRANZ: Leni liebt keine Komplikationen.

JOHANNA: Also?

FRANZ: Sie wird also vereinfachen.

JOHANNA *nimmt den Revolver in die Hand, der auf dem Tisch liegt:* Damit?

FRANZ: Damit oder auf andere Weise.

JOHANNA: In einem solchen Fall schießen die Frauen auf die Frau.

FRANZ: Leni ist nur zur Hälfte Frau.

JOHANNA: Würde es dich stören zu sterben?

FRANZ: Offen gestanden, ja. *Zeigt an die Decke.* Ich habe die Worte nicht herausgefunden, die sie verstehen können. Und du?

JOHANNA: Ich hätte es nicht gern, daß Werner allein zurückbleibt.

FRANZ *kleines Lachen, abschließend:* Wir können weder leben noch sterben.

JOHANNA *ebenso:* Uns weder sehen noch verlassen.

FRANZ: Wir sind ganz hübsch festgefahren. *Er setzt sich.*

JOHANNA: Ganz schön. *Sie setzt sich auf das Bett. Schweigen. Franz kehrt Johanna den Rücken und reibt zwei Austernschalen aneinander.*

FRANZ *mit dem Rücken zu Johanna:* Es muß einen Ausweg geben.

JOHANNA: Es gibt keinen.

FRANZ *mit Nachdruck:* Es muß einen geben! *Er reibt die Schalen mit wahnsinniger und verzweifelter Heftigkeit.* He, was?

JOHANNA: Laß doch die Muscheln in Ruhe. Das ist nicht auszuhalten.

FRANZ: Halt den Mund! *Er wirft die Muscheln gegen das Hitlerporträt.* Sieh doch, wie ich mich anstrenge. *Er wendet sich halb zu ihr und zeigt ihr seine zitternden Hände.* Weißt du, was mir Angst macht?

JOHANNA: Der Ausweg? *Franz, der immer noch starr ist, nickt.* Was ist es?

FRANZ: Langsam. *Er steht auf und geht erregt auf und ab.* Dränge mich nicht. Alle Wege sind verstellt, selbst der des geringeren Übels. Bleibt ein Weg, der immer offen ist, weil er ungangbar ist: der des größten Übels. Wir werden ihn wählen.

JOHANNA *mit einem Schrei:* Nein!

FRANZ: Siehst du, du kennst den Ausweg.

JOHANNA *mit Leidenschaft:* Wir waren glücklich.

FRANZ: In der Hölle glücklich?

JOHANNA *leidenschaftlich:* In der Hölle glücklich, ja. Wider deinen, wider meinen Willen. Ich bitte dich, ich flehe dich an, laß uns bleiben, was wir sind. Laß uns warten, wortlos, bewegungslos. *Sie packt ihn am Arm.* Wir wollen uns nicht ändern.

FRANZ: Die andern ändern sich, Johanna, die andern werden uns ändern. *Pause.* Glaubst du, daß Leni uns am Leben lassen wird?

JOHANNA *heftig:* Leni übernehme ich. Wenn es zum Schießen kommt, werde ich zuerst schießen.

FRANZ: Lassen wir Leni aus dem Spiel. Hier sind wir, allein, von Angesicht zu Angesicht: was wird geschehen?

JOHANNA *mit gleicher Leidenschaft:* Nichts wird geschehen. Nichts wird sich ändern! Wir werden ...

FRANZ: Du wirst mich vernichten, das wird geschehen.

JOHANNA *wie eben:* Niemals!

FRANZ: Du wirst mich langsam vernichten, ganz sicher, durch deine bloße Anwesenheit. Schon zerfällt mein Irrsinn; Johanna, er war meine Zuflucht; was wird aus mir, wenn ich wieder das Licht der Welt erblicke?

JOHANNA *wie eben:* Du wirst geheilt sein.

FRANZ *kurzer Ausbruch:* Ah! *Pause. Hartes Lachen.* Ich müßte ja schwachsinnig sein.

JOHANNA: Ich werde dir nie etwas Böses tun; ich denke nicht im Traum daran, dich zu heilen; dein Irrsinn, das ist mein Gefängnis. Ich bewege mich darin im Kreise.

FRANZ *mit trauriger und zärtlicher Bitterkeit:* Du bewegst dich im Kreise, kleines Eichhörnchen? Die Eichhörnchen haben gute Zähne: du wirst die Stäbe zernagen.

JOHANNA: Das stimmt nicht! Ich habe nicht einmal Verlangen danach. Ich beuge mich allen deinen Launen.

FRANZ: Was das angeht, ja. Aber man sieht es zu deutlich. Deine Lügen sind Geständnisse.

JOHANNA *starr:* Ich belüge dich nie!

FRANZ: Du tust nichts anderes. Großherzig. Tugendhaft. Wie ein tapferer kleiner Soldat. Nur lügst du sehr schlecht. Um gut zu lügen, weißt du, muß man selbst eine Lüge sein: das ist bei mir der Fall. Du, du bist wahr. Wenn ich dich ansehe, weiß ich, daß es die Wahrheit gibt und daß sie nicht auf meiner Seite ist. *Lachend.* Wenn es in Düsseldorf Waisenkinder gibt, dann wette ich, daß sie fett sind wie Wachteln!

JOHANNA *mit mechanischer und erstorbener Stimme:* Sie sind tot! Deutschland ist tot!

FRANZ *brutal:* Halt den Mund! *Pause.* Nun? Du kennst ihn jetzt, den Weg des größeren Übels? Du öffnest mir die Augen, indem du versuchst, sie mir zu schließen. Und ich, eigentlich dein Gegenspieler, mache mich zu deinem Komplicen, weil . . . weil ich zu dir halte.

JOHANNA *die wieder etwas zu sich gekommen ist:* So tut also jeder das Gegenteil von dem, was er wirklich will?

FRANZ: Genau.

JOHANNA *mit schroffer und abgehackter Stimme:* Nun? Was ist der Ausweg?

FRANZ: Daß jeder will, was er gezwungen ist zu tun.

JOHANNA: Ich muß dich vernichten wollen?

FRANZ: Wir müssen uns helfen, die Wahrheit zu wollen.

JOHANNA *wie eben:* Du wirst sie niemals wollen. Du bist verlogen bis auf die Knochen.

FRANZ *trocken und distanziert:* He, meine Liebe, du mußt mich verteidigen. *Pause. Dann wärmer.* Ich werde in dem Augenblick allen Illusionen abschwören, in dem . . . *Er zögert.*

JOHANNA: In dem?

FRANZ: In dem ich dich mehr liebe als meine Lügen, in dem du mich liebst trotz meiner Wahrheit.

JOHANNA *ironisch:* Du hast eine Wahrheit? Welche? Die du den Krabben sagst?

FRANZ *springt mit einem Satz auf sie zu:* Welchen Krabben? Bist du verrückt? Welchen Krabben? *Pause. Er wendet sich ab.* Ach so! Ach so, ja, natürlich. *Rasch, unvermittelt.* Die Krabben sind Menschen. *Pause.* He, was? *Er setzt sich.* Wo habe ich das hergeholt? *Pause.* Ich wußte es doch . . . früher . . . Ja, ja, ja. Aber ich habe so viele Sorgen. *Pause. Mit Entschlossenheit.* Wirkliche Menschen, gute und schöne, auf allen Balkonen der Jahrhunderte. Ich, ich kroch im Hof herum; ich glaubte sie zu hören: «Bruder, was ist das?» Das, das war ich . . . *Er steht auf. Militärischer Gruß. Er steht still. Mit lauter Stimme.* Ich, die Krabbe. *Er wendet sich zu Johanna, die ihn ansieht, und spricht vertraulich.* Nun ja, ich habe nein gesagt. Nicht Menschen werden meine Zeit richten. Wer sind sie schon? Die Söhne unserer Söhne. Erlaubt man kleinen Jungen, ihre Großväter zu verdammen? Ich habe die Situation umgekehrt, ich habe gerufen: «Hier ist der Mensch; nach mir die Sintflut; nach der Sintflut die Krabben, ihr!» Entlarvt, alle! Die Balkone wimmelten von Gliederfüßlern. *Feierlich.* Es ist dir wohl nicht unbekannt, daß die menschliche Spezies mit dem falschen Fuß zuerst angetreten ist: ich habe ihr sagenhaftes Pech gekrönt, indem ich ihre sterbliche Hülle dem Gerichtshof der Krustentiere überantwortet habe. *Pause. Er geht mit seitlichem Schritt umher, langsam.* Gut. Also werden es Menschen sein. *Er lacht leise, mit verstörtem Gesichtsausdruck, und geht rückwärts auf das Hitlerporträt zu.* Menschen, sieh dir das an! *Plötzlich erbost.* Johanna, ich erkenne ihre Zuständigkeit nicht an, ich nehme ihnen diesen Prozeß weg und übertrage ihn dir. Richte über mich.

JOHANNA *mehr mit Resignation als mit Überraschung:* Ich soll über dich richten?

FRANZ *schreit:* Bist du taub? *Die Heftigkeit weicht ängstlichem Erstaunen.* He, was? *Er nimmt sich zusammen. Lacht trocken, fast geckenhaft, aber düster.* Du wirst mich richten, weiß Gott, du wirst mich richten.

JOHANNA: Gestern warst du noch Zeuge. Der Zeuge des Menschen.

FRANZ: Gestern war gestern. *Er streicht sich mit der Hand über die Stirn.* Der Zeuge des Menschen ... *Lacht.* Und wer soll das sein? Sehen Sie, meine Gnädigste, es ist der Mensch, ein Kind könnte das erraten. Der Angeklagte zeugt für sich selbst. Ich gebe zu, daß das ein circulus vitiosus ist. *Mit finsterem Stolz.* Ich bin der Mensch, Johanna; ich bin ganz Mensch und ganz der Mensch, ich bin das Jahrhundert. *Plötzlich mit possenhafter Bescheidenheit:* Wie jeder beliebige andere.

JOHANNA: In diesem Fall werde ich den Prozeß eines anderen führen.

FRANZ: Von wem?

JOHANNA: Irgendeinem — nur nicht von dir.

FRANZ: Der Angeklagte verspricht, exemplarisch zu sein: ich sollte Entlastungszeuge sein, aber wenn du willst, werde ich mich belasten. *Pause.* Natürlich, du bist frei. *Pause.* Aber wenn du mich verläßt, ohne mich anzuhören, und aus Angst, mich zu kennen, wirst du das Urteil fällen, ob du willst oder nicht. Entscheide. *Pause. Er zeigt an die Decke.* Ich sage ihnen, was mir gerade so durch den Kopf geht: niemals eine Antwort. Ich erzähle ihnen auch Witze, zum Lachen: ich frage mich immer noch, ob sie sie schlucken oder sie als Belastung gegen mich notieren. Eine Pyramide aus Schweigen. Über meinem Kopf. Ein Jahrtausend, das schweigt. Das bringt mich um. Und wenn sie gar nichts von mir wissen? Wenn sie mich vergessen haben? Was soll bloß aus mir werden, ohne Gerichtshof? Welche Verachtung! – «Du kannst machen, was du willst, man pfeift darauf.» – Also? Bin ich denn gar nichts? Ein Leben, das nicht sanktioniert ist, wird von der Erde verschlungen. *Er faßt ihren Arm, zart und ergreifend.* Das war das Alte Testament. Jetzt kommt das Neue. Du wirst die Zukunft sein und die Gegenwart, die Welt und ich selbst; es wird nichts geben außer dir: du wirst mich die Jahrhunderte vergessen lassen, ich werde leben. Du wirst mich anhören, ich werde deine Blicke auffangen, und ich werde dich antworten hören; eines Tages, vielleicht erst nach Jahren, wirst du meine Unschuld erkennen, und ich werde es wissen. Was für ein hohes Fest: du wirst mir alles sein, und alles wird mich freisprechen. *Pause.* Johanna! Ist das möglich? *Pause.*

JOHANNA: Ja.

FRANZ: Kann man mich noch lieben?

JOHANNA *lächelt traurig, aber mit tiefem Ernst:* Leider. *Franz erhebt sich. Er sieht erleichtert aus, fast glücklich. Er geht auf Johanna zu und nimmt sie in die Arme.*

FRANZ: Ich werde nie mehr allein sein ... *Er will sie küssen, dann entfernt er sich plötzlich und nimmt wieder sein wahnsinniges, hartes Aussehen an. Johanna sieht ihn an, versteht, daß er in seine Einsamkeit zurückgekehrt ist, und verhärtet sich ebenfalls. Mit einer bösartigen Ironie, die sich aber nur gegen ihn selbst richtet.* Ich bitte dich um Verzeihung, Johanna; es ist ein bißchen früh, den Richter zu bestechen, den ich mir gesetzt habe.

JOHANNA: Ich bin nicht dein Richter. Die man liebt, richtet man nicht.

FRANZ: Und wenn du aufhörtest, mich zu lieben? Wäre das nicht ein Gericht? Das Jüngste Gericht?

JOHANNA: Wie könnte ich?

FRANZ: Indem du erfährst, wer ich bin ...

JOHANNA: Ich weiß es schon.

FRANZ *reibt sich die Hände und sieht erfreut aus:* O nein! Überhaupt nicht! Überhaupt nicht! *Pause. Er sieht vollkommen irr aus.* Es wird ein Tag kommen, ein Tag wie jeder andere, ich werde dir von mir erzählen, du wirst mir zuhören, und plötzlich wird die Liebe zugrunde gehen! Du wirst mich voller Entsetzen ansehen, und ich werde spüren, ich werde wieder – *er kriecht auf allen vieren seitlich umher* ... eine Krabbe!

JOHANNA *sieht ihn voller Entsetzen an:* Hör auf!

FRANZ *auf allen vieren:* Du machst schon diese Augen! Genau diese Augen wirst du machen! *Er steht behende auf.* Verurteilt, hm? Ohne Gnade verurteilt! *Mit veränderter Stimme, förmlich und optimistisch.* Wohlverstanden, es ist ebenso möglich, daß ich Objekt eines Freispruches werde.

JOHANNA *mit Verachtung und gedehnt:* Ich bin nicht sicher, ob du das wünschst.

FRANZ: Gnädige Frau, ich wünsche es zu beenden, auf die eine oder andere Weise. *Pause.*

JOHANNA: Du hast gewonnen, bravo! Wenn ich gehe, verurteile ich dich; wenn ich bleibe, setzt du das Mißtrauen zwischen uns; es leuchtet schon in deinen Augen. Also gut, halten wir uns an das Programm: seien wir bedacht, uns gemeinsam zu degradieren, erniedrigen wir uns mit Fleiß einer durch den anderen; wir werden aus unserer Liebe ein Marterinstrument machen; wir werden trinken, ja? Du wirst dich wieder dem Sekt zuwenden; ich, wie einst, dem Whisky, ich werde ihn herbeischaffen. Jeder vor seiner Flasche, dem anderen gegenüber – und allein. *Mit bösem Lächeln.* Weißt du, was wir sein werden, du Zeuge des Menschen? Ein Paar wie alle Paare! *Sie gießt sich Sekt ein und hebt das Glas.* Ich trinke auf uns! *Sie trinkt mit einem Zuge aus und wirft das Glas auf das Hitlerporträt. Das Glas zerbricht, als es gegen das Bild prallt. Johanna holt einen Sessel von dem Stapel zerbrochener Möbel, stellt ihn richtig auf und setzt sich.* Also?

FRANZ *verwirrt:* Johanna . . . was . . .

JOHANNA: Jetzt frage ich. Also? Was hast du zu sagen?

FRANZ: Du hast mich nicht verstanden. Wenn es nur uns beide gäbe, ich schwöre dir . . .

JOHANNA: Wen gibt es außer uns?

FRANZ *mühsam:* Leni. Wenn ich mich jetzt entschließe zu sprechen, so um uns vor ihr zu retten. Ich werde sagen . . . was gesagt werden muß, ohne mich zu schonen, aber auf meine Weise, nach und nach, es wird Monate dauern, Jahre! Es ist einerlei, ich verlange nichts als dein Vertrauen, und du wirst das meine haben, wenn du mir versprichst, nur noch mir zu glauben.

JOHANNA *sieht ihn lange an. Sanfter:* Gut. Ich werde nur noch dir glauben.

FRANZ *mit einer gewissen Feierlichkeit, aber ehrlich:* Solange du dieses Versprechen hältst, wird Leni keine Gewalt über uns haben. *Er geht und setzt sich.* Ich habe Angst. Du warst in meinen Armen, ich begehrte dich, ich begann wieder zu leben . . . und plötzlich sah ich meine Schwester und sagte mir: sie wird uns vernichten. *Er holt ein Taschentuch aus der Tasche und wischt sich die Stirn:* Pff! *Mit sanfter Stimme.* Es ist Sommer, nicht wahr? Es muß heiß sein. *Pause. Er blickt ins Leere.* Weißt du, daß er aus mir eine ziemlich tolle Maschine gemacht hatte?

JOHANNA: Der Vater?

FRANZ *wie eben:* Ja. Eine Kommandiermaschine. *Kleines Lachen. Pause.* Ein Sommer mehr! Und die Maschine läuft noch immer. Im Leerlauf, wie immer. *Er steht auf.* Ich werde dir mein Leben erzählen; aber mach dich nicht auf große Abscheulichkeiten gefaßt. O nein: nicht einmal das. Weißt du, worüber ich mir Vorwürfe mache: ich habe nichts getan. *Das Licht wird langsam matter.* Nichts! Nichts! Niemals!

3. SZENE

Franz, Johanna, eine Frau

EINE FRAUENSTIMME *leise:* Soldat!

JOHANNA *ohne die Frau zu hören:* Du hast den Krieg mitgemacht.

FRANZ: Das glaubst du!

Es beginnt dunkel zu werden.

FRAUENSTIMME *lauter:* Soldat!

FRANZ *aufrecht an der Rampe, allein sichtbar. Johanna sitzt im Sessel und ist in Dunkel gehüllt:* Krieg, den macht man nicht: er macht uns. So gut man sich auch schlug, ich lachte mir ins Fäustchen: ich war ein Zivilist in Uniform. Eines Nachts, da wurde ich Soldat auf Lebenszeit. *Er greift hinter sich, wo auf dem Tisch eine Offiziersmütze liegt und setzt sie mit plötzlicher Gebärde auf.* Ein armer besiegter Lump, ein Unfähiger. Ich kam aus Rußland zurück, immer wieder mich versteckend fuhr ich quer durch Deutschland, kam in ein Dorf, das in Trümmern lag.

DIE FRAU *noch unsichtbar, lauter:* Soldat!

FRANZ: Wie? *Er wendet sich unvermittelt um, in der linken Hand hält er eine Taschenlampe; mit der rechten zieht er seine Pistole aus dem Futteral und hält sie schußbereit, die Taschenlampe ist nicht eingeschaltet.* Wer ruft da?

DIE FRAU: Suche nur.

FRANZ: Wieviele seid ihr?

DIE FRAU: Auf deiner Höhe niemand mehr. Hier unten, da bin ich. *Franz schaltet unvermittelt die Taschenlampe ein und richtet sie auf den Boden. Eine Frau in Schwarz lehnt an der Mauer, halb auf den Boden gekauert.* Mach das aus, du blendest mich. *Franz schaltet aus. Es bleibt eine diffuse Helle, die sie umgibt und sichtbar macht.* Ha! Ha! Schieß! Schieß doch! Mach deinem Krieg ein Ende, durch den Mord an einer Deutschen. *Franz ertappt sich dabei, daß er, ohne es zu bemerken, seine Pistole auf die Frau gerichtet hat. Er steckt die Pistole mit Entsetzen in die Tasche.*

FRANZ: Was machst du da?

DIE FRAU: Das siehst du doch; ich hocke am Fuße der Mauer. *Stolz* Es ist meine Mauer. Die massivste im ganzen Dorf. Die einzige, die gehalten hat.

FRANZ: Komm mit.

DIE FRAU: Mach deine Taschenlampe an. *Er schaltet sie ein, der Lichtkegel erhellt den Boden. Er bringt aus dem Dunkel eine Decke zum Vorschein, die die Frau von Kopf bis Fuß einhüllt.* Sieh mal. *Sie hebt die Decke ein wenig. Er richtet die Taschenlampe auf etwas, das sie ihm zeigt und was das Publikum nicht sieht. Dann, mit einem plötzlichen Knurren, löscht er aus.* Ja, ja: das waren meine Beine.

FRANZ: Was kann ich für dich tun?

DIE FRAU: Dich eine Minute setzen. *Er setzt sich neben sie.* Ich habe einen von unseren Soldaten an den Fuß der Mauer gesetzt! *Pause.* Einen anderen Wunsch hatte ich nicht mehr. *Pause.* Ich hoffte, es würde mein Bruder sein, aber der ist gefallen. In der Normandie. Macht nichts; du wirst es für ihn tun. Ich hätte zu ihm gesagt: «Sieh mal! *Zeigt auf die Ruinen des Dorfes.* Das ist dein Werk.»

FRANZ: Sein Werk?

DIE FRAU *zeigt auf Franz:* Und das deine, mein Junge!

FRANZ: Wieso?

DIE FRAU: Du hast dich schlagen lassen.

FRANZ: Red keinen Blödsinn. *Er steht unvermittelt auf, das Gesicht der Frau zugewendet. Sein Blick fällt auf einen Anschlag, der bisher nicht zu sehen war und den ein Scheinwerfer beleuchtet. Er ist an die Mauer geklebt, 1,75 m vom Boden, rechts neben der Frau. «Die Schuldigen seid ihr!»* Auch das noch! Sie kleben sie überall hin! *Er geht und will den Anschlag herunterreißen.*

DIE FRAU, *den Kopf nach rückwärts gewendet, schaut ihn an:* Laß das dran! Laß es, sage ich dir, das ist meine Mauer! *Franz geht fort.* Die Schuldigen seid ihr! *liest sie und zeigt auf ihn.* Du, mein Bruder, ihr alle!

FRANZ: Du bist mit ihnen einig?

DIE FRAU: Wie die Nacht mit dem Tage. Sie erzählen dem lieben

Gott, wir seien Kannibalen, und der liebe Gott hört sie an, weil sie gewonnen haben. Aber man kann mich nicht davon abbringen: die wirklichen Kannibalen, das sind die Sieger. Gestehe es, Soldat: du wolltest kein Menschenfleisch essen.

FRANZ *mit Überdruß:* Wir haben sie vernichtet! Vernichtet! Dörfer und Städte! Hauptstädte!

DIE FRAU: Wenn sie euch geschlagen haben, so deshalb, weil sie mehr zerstört haben als ihr. *Franz hebt die Schultern.* Hast du Menschenfleisch gegessen?

FRANZ: Und dein Bruder? Hat er's gegessen?

DIE FRAU: Sicher nicht: er hatte gute Manieren. Wie du.

FRANZ *nach einem Schweigen:* Hat man dir von den Lagern erzählt?

DIE FRAU: Von welchen?

FRANZ: Du weißt es genau: von den Vernichtungslagern.

DIE FRAU: Man hat mir davon erzählt.

FRANZ: Wenn man dir gesagt hätte, daß dein Bruder im Augenblick seines Todes Wächter war in einem dieser Lager, wärst du stolz darauf?

DIE FRAU *grausam:* Ja. Hör mir gut zu, mein Junge, wenn mein Bruder Millionen Tote auf dem Gewissen hätte, wenn unter diesen Toten sich Frauen befänden wie ich, und Kinder, wie sie unter diesen Steinen verfaulen, dann wäre ich stolz auf ihn: ich wüßte, daß er im Paradies ist und daß er das Recht hat zu denken: «Ich habe getan, was ich konnte!» Aber ich kenne ihn: er liebte uns weniger als seine Ehre, weniger als seine Tugenden. Und darum. *Kreisende Geste. Heftig.* Terror wäre nötig gewesen – alles hättet ihr zerstören müssen!

FRANZ: Wir haben es getan.

DIE FRAU: Niemals genug! Nicht genug Lager! Nicht genug Henker! Du hast uns verraten, als du gabst, was dir nicht gehörte, jedesmal, wenn du das Leben eines Feindes schontest, und sei es an einer Wiege, nahmst du einem von uns das Leben; du wolltest ohne Haß kämpfen und hast mich dabei mit Haß vergiftet, der mir das Herz zerfrißt. Wo ist deine Tugend, schlechter Soldat? Soldat der Niederlage, wo ist deine Ehre? Der Schuldige bist du! Gott wird dich nicht nach deinen Taten richten, sondern danach, was du nicht zu tun wagtest: nach den Verbrechen, die begangen werden mußten und die du nicht begangen hast! *Die Dunkelheit hat nach und nach wieder zugenommen. Nur der Anschlag bleibt sichtbar. Die Stimme wiederholt, während sie sich entfernt.* Der Schuldige bist du! Bist du! Bist du! *Der Anschlag verschwindet.*

4. SZENE

Franz, Johanna

STIMME VON FRANZ *in der Nacht:* Johanna.
Licht. Franz steht aufrecht da, mit bloßem Kopf, neben seinem Tisch. Johanna sitzt im Sessel. Die Frau ist verschwunden.

JOHANNA *auffahrend:* Ja? *Franz geht auf sie zu. Er sieht sie lange an.*

FRANZ: Johanna! *Er sieht sie an, versucht, die Erinnerungen zu verscheuchen.*

JOHANNA *lehnt sich schroff zurück:* Was ist aus ihr geworden?

FRANZ: Aus der Frau? Das kommt darauf an.

JOHANNA *überrascht:* Auf was denn?

FRANZ: Auf meine Träume.

JOHANNA: Das war keine Erinnerung?

FRANZ: Es ist auch ein Traum. Manchmal führe ich ihn herbei, manchmal verscheuche ich ihn und manchmal ... Jedenfalls krepiert sie, es ist ein Alptraum. *Mit starrem Blick, zu sich selbst.* Ich frage mich, ob ich sie wohl getötet habe.

JOHANNA *ohne Überraschung, aber mit Angst und Abscheu:* Ha! *Er fängt an zu lachen.*

FRANZ *mit einer Geste, die einen imaginären Abzughahn zieht:* So! *Lächelnde Herausforderung.* Hättest du sie leiden lassen? Auf allen Straßen gibt es Verbrechen. Vorfabrizierte Verbrechen, die nur auf ihren Täter warten. Der echte Soldat kommt vorbei und nimmt es auf sich. *Unvermittelt.* Die Geschichte mißfällt dir? Ich mag deine Augen nicht! Ah! Gib ihr ein Ende, das dir gefällt. *Entfernt sich von ihr mit großen Schritten. Beim Tisch angelangt, wendet er sich um.* «Der Schuldige bist du!» Was sagst du dazu? Hatte sie recht?

JOHANNA *hebt die Schultern:* Sie war verrückt.

FRANZ: Ja. Aber was beweist das?

JOHANNA *mit Nachdruck und Klarheit:* Wir haben verloren, weil wir nicht genug Menschen und Flugzeuge hatten!

FRANZ *unterbricht sie:* Ich weiß! Ich weiß! Das betrifft Hitler. *Pause.* Ich spreche von mir. Der Krieg war mein Los: bis zu welchem Punkt mußte ich ihn lieben? *Sie will sprechen.* Denke nach! Denke scharf nach: deine Antwort ist ein Urteil.

JOHANNA *unbehaglich, herausfordernd und hart:* Es ist alles überlegt. *Pause.*

FRANZ: Wenn ich wirklich alle Untaten begangen hätte, die man in Nürnberg verurteilt hat ...

JOHANNA: Welche?

FRANZ: Was weiß denn ich! Sippenmord ... und all die Schweinereien!

JOHANNA *hebt die Schultern:* Warum solltest du sie begangen haben?

FRANZ: Weil der Krieg mein Los war: als unsere Väter unsere Mütter schwängerten, haben sie ihnen Soldaten gemacht. Ich weiß nicht, warum.

JOHANNA: Ein Soldat ist ein Mensch.

FRANZ: Zuerst ist er Soldat. Also? Würdest du mich noch lieben? *Sie will sprechen.* So laß dir doch Zeit, um Gottes willen! *Sie sieht ihn schweigend an.* Also?

JOHANNA: Nein.

FRANZ: Du würdest mich nicht mehr lieben. *Johanna nickt.* Ich würde dir Entsetzen einjagen?

JOHANNA: Ja.

FRANZ *bricht in Lachen aus:* Gut, gut, gut! Beruhige dich, Johanna: du hast es mit einem eingefleischten Junggesellen zu tun. Unschuld wird garantiert. *Sie bleibt mißtrauisch und hart.* Du könntest mir ruhig zulächeln: ich habe Deutschland aus Sentimentalität getötet.

Die Tür zum Badezimmer öffnet sich. Klages tritt ein, schließt die Tür hinter sich wieder und geht mit langsamen Schritten auf den Stuhl von Franz zu, um sich zu setzen. Weder Franz noch Johanna schenken ihm Beachtung.

5. SZENE

Franz, Johanna, Klages

FRANZ: Wir waren fünfhundert bei Smolensk. Eingeschlossen, in einem Dorf. Kompaniechef gefallen, Hauptleute gefallen, bleiben nur wir, zwei Leutnants und ein Feldwebel. Seltsames Triumvirat: der Leutnant Klages war der Sohn eines Pfarrers: ein Idealist, schwebte in den Wolken ... Heinrich, der Feldwebel, stand mit beiden Füßen auf der Erde, war aber hundertprozentiger Nazi. Die Partisanen schnitten uns den Rückweg ab: sie hielten die Straße unter Feuer. Für drei Tage Lebensmittel. Man fand zwei russische Bauern, sperrte sie in eine Scheune und taufte sie «Kriegsgefangene».

KLAGES *überwältigt:* So ein Rohling!

FRANZ *ohne sich umzusehen:* Hnn?

KLAGES: Heinrich! Ich sage: so ein Rohling!
FRANZ *undeutlich, wie eben:* Ach so . . .
KLAGES *jämmerlich und düster:* Franz, ich sitze in der Scheiße! *Franz wendet sich plötzlich zu ihm um.* Die beiden Bauern: er hat sich in den Kopf gesetzt, sie zum Sprechen zu bringen.
FRANZ: Ah! Ah! *Pause.* Und du, du willst nicht, daß er sie schindet?
KLAGES: Habe ich unrecht?
FRANZ: Das ist nicht die Frage.
KLAGES: Was dann?
FRANZ: Hast du ihm verboten, den Schuppen zu betreten? *Klages nickt.* Dann darf er ihn auch nicht betreten.
KLAGES: Du weißt, daß er nicht auf mich hört.
FRANZ *spielt entrüstetes Erstaunen:* Wie?
KLAGES: Ich finde keine Worte.
FRANZ: Wie?
KLAGES: Worte, um ihn zu überzeugen.
FRANZ *verblüfft:* Und obendrein willst du noch, daß er überzeugt ist! *Brutal.* Behandle ihn wie einen Hund, laß ihn robben!
KLAGES: Ich kann nicht. Wenn ich einen Menschen verachte, nur einen einzigen, selbst einen Henker, kann ich keinen mehr respektieren.
FRANZ: Wenn ein Untergebener, nur ein einziger, den Gehorsam verweigert, wird dir keiner mehr gehorchen. Die Achtung der Menschen, darauf pfeife ich, aber wenn du die Disziplin in den Wind schlägst, dann ist das die Niederlage, das Massaker oder beides zugleich.
KLAGES *erhebt sich, geht zur Tür, öffnet sie einen Spalt und wirft einen Blick nach draußen:* Er ist vor der Scheune: er lauert. *Er schließt die Tür wieder und wendet sich Franz zu.* Retten wir sie doch!
FRANZ: Du rettest sie, wenn du deine Autorität rettest.
KLAGES: Ich dachte . . .
FRANZ: Was?
KLAGES: Heinrich gehorcht dir wie dem lieben Gott.
FRANZ: Weil ich ihn behandle wie einen Haufen Scheiße: das ist logisch.
KLAGES *geniert:* Wenn der Befehl von dir käme . . . *Flehend.* Franz!
FRANZ: Nein. Die Gefangenen sind dein Ressort. Wenn ich einen Befehl gebe, an deiner Stelle, übergehe ich dich. Und eine Stunde später, wenn ich gefallen bin, nachdem ich deinen Respekt vernichtet habe, wird Heinrich allein kommandieren. Das wäre eine Katastrophe: für meine Soldaten, weil er dumm ist, für deine

Gefangenen, weil er böse ist. *Er durchquert den Raum und geht auf Johanna zu.* Und überhaupt, der Klages: er konnte Leutnant sein, so viel er wollte. Heinrich hätte ihn ins Loch gesteckt.

JOHANNA: Warum?

FRANZ: Klages wünschte unsere Niederlage.

KLAGES: Ich wünsche sie nicht, ich will sie!

FRANZ: Dazu hast du kein Recht!

KLAGES: Das wäre Hitlers Sturz.

FRANZ: Und der Deutschlands. *Lacht.* Kaputt! Kaputt! *Kommt zurück zu Johanna.* Das war ein Meister der Verdrängung; er verfluchte die Nazis im Grunde seiner Seele, um vor sich zu verbergen, daß er ihnen mit seinem Körper diente.

JOHANNA: Er diente ihnen nicht!

FRANZ *zu Johanna:* Geh! Du bist von derselben Sorte. Seine Hände dienten ihnen, seine Stimme diente ihnen. Er sagte zu Gott: «Ich will nicht, was ich tue!», aber er tat es. *Geht zu Klages zurück.* Der Krieg geht durch dich hindurch. Wenn du ihn ablehnst, verurteilst du dich zur Ohnmacht; du hast deine Seele umsonst verkauft, Moralist! Für meine wird bezahlt, dafür sorge ich. *Pause.* Erst gewinnen! Dann wird man sich mit Hitler beschäftigen.

KLAGES: Dazu wird keine Zeit mehr sein.

FRANZ: Wir werden sehen! *Kommt zurück zu Johanna, drohend.* Man hat mich hinters Licht geführt, gnädige Frau, und ich hatte beschlossen, daß mir das nicht noch einmal passieren soll.

JOHANNA: Wer hat dich hinters Licht geführt?

FRANZ: Das fragst du? Luther. *Lacht.* Gesehen! Verstanden! Ich habe Luther zum Teufel geschickt und bin gegangen. Der Krieg war mein Schicksal, und ich habe ihn aus ganzer Seele gewünscht. Ich handelte, endlich! Ich stellte mir neue Ordnungen auf; ich war mit mir im reinen.

JOHANNA: Handeln, das ist töten?

FRANZ *zu Johanna:* Es ist Handeln. Unterschreiben.

KLAGES: Was unterschreiben?

FRANZ *zu Klages:* Was vorliegt. Ich unterschreibe unsere Lage hier. Ich werde den Krieg verantworten, als hätte ich ihn allein geführt, und wenn ich gewonnen habe, werde ich kassieren.

JOHANNA *sehr trocken:* Und die Gefangenen, Franz?

FRANZ *wendet sich ihr zu:* He?

JOHANNA: Du, der für alle verantwortlich war, warst du auch für sie verantwortlich?

FRANZ *nach kurzem Schweigen:* Ich habe sie aus der Affäre gezogen. *Zu Klages.* Wie kann man ihm diesen Befehl geben, ohne deine

Autorität zu kompromittieren? Warte mal. *Er denkt nach.* Gut! *Er geht zur Tür und öffnet sie. Ruft.* Heinrich! *Er geht zum Tisch zurück, Heinrich kommt im Laufschritt herein.*

6. SZENE

Franz, Johanna, Klages, Heinrich

HEINRICH *grüßt militärisch. Achtungstellung:* Zu Befehl, Herr Leutnant. *Ein kleines, glückliches Lächeln des Vertrauens, fast zärtlich, erhellt sein Gesicht, als er sich an Franz wendet.*

FRANZ *nähert sich dem Feldwebel ohne Hast und mustert ihn von Kopf bis Fuß:* Feldwebel, Sie vernachlässigen sich. *Zeigt auf einen Knopf, der aus einem Knopfloch hängt.* Was ist denn das?

HEINRICH: Das ist . . . eh . . . das ist ein Knopf, Herr Leutnant.

FRANZ *bieder:* Sie werden ihn noch verlieren, Freundchen. *Er reißt ihn mit einem kurzen Ruck ab und hält ihn in der linken Hand.* Sie werden ihn wieder annähen.

HEINRICH *besorgt:* Kein Mensch hier hat mehr Faden, Herr Leutnant.

FRANZ: Du antwortest noch, Scheißkerl? *Er ohrfeigt ihn mit der rechten Hand, holt ganz weit aus und schlägt gleich noch zweimal zu.* Aufheben! *Er läßt den Knopf fallen. Der Feldwebel bückt sich, um den Knopf aufzuheben.* Achtung! *Der Feldwebel hat den Knopf aufgehoben. Er steht stramm.* Leutnant Klages und ich haben beschlossen, von heut an unsere Dienststellung wöchentlich zu wechseln. Sie werden ihn sofort zu den Vorposten führen; ich übernehme bis Montag seine Befugnisse. Rühren. *Heinrich grüßt militärisch.* Warten Sie! *Zu Klages.* Wir haben Gefangene, glaube ich?

KLAGES: Zwei.

FRANZ: Sehr gut, ich übernehme sie.

HEINRICH *seine Augen leuchten, er glaubt, daß Franz seine Vorschläge annehmen wird:* Herr Leutnant!

FRANZ *brutal, mit Erstaunen:* Was?

HEINRICH: Es sind Partisanen.

FRANZ: Möglich! Und?

HEINRICH: Wenn Sie erlauben . . .

KLAGES: Ich habe es ihm bereits untersagt, sich mit ihnen zu befassen.

FRANZ: Hören Sie, Feldwebel? Alles schon geregelt. Raus!

KLAGES: Warte. Weißt du, was er mich gefragt hat?

HEINRICH *zu Franz:* Ich . . . ich habe nur Spaß gemacht, Herr Leutnant.

FRANZ *zieht die Augenbraue hoch:* Mit einem Vorgesetzten? *Zu Klages.* Was hat er gefragt?

KLAGES: «Was werden Sie tun, wenn ich nicht gehorche?»

FRANZ *mit tonloser Stimme:* Ah! *Wendet sich zu Heinrich.* Heute, Feldwebel, bin ich an der Reihe, Ihnen zu antworten. Wenn Sie nicht gehorchen . . . *Klopft auf seine Pistolentasche* . . . werde ich Sie umlegen. *Pause.*

KLAGES *zu Heinrich:* Führen Sie mich zu den Vorposten. *Er tauscht ein Augenzwinkern mit Franz und geht hinter Heinrich hinaus.*

7. SZENE

Franz, Johanna

FRANZ: War das gut, meine Soldaten zu töten?

JOHANNA: Du hast sie nicht getötet.

FRANZ: Ich habe nicht alles unternommen, um zu verhindern, daß sie sterben.

JOHANNA: Die Gefangenen hätten nicht gesprochen.

FRANZ: Was verstehst du davon?

JOHANNA: Bauern? Sie hatten nichts zu sagen.

FRANZ: Wer kann beweisen, daß sie keine Partisanen waren?

JOHANNA: Im allgemeinen sprechen Partisanen nicht.

FRANZ: Im allgemeinen, ja? *Für einen Augenblick sieht er irr aus.* Deutschland ist ein Verbrechen wert, wie? *Mondän, mit verstörter Ungezwungenheit, fast possenhaft.* Ich weiß nicht, ob ich mich verständlich mache. Sie sind schon eine andere Generation. *Pause. Sehr hart, ernsthaft, ohne sie anzusehen, mit starren Augen, fast strammstehend.* Das Leben ist kurz; mit einem Tod nach Wahl! Marschieren! Marschieren! Bis ans Ende des Schreckens gehen, die Hölle übertreffen! Ein Pulvermagazin: ich hätte es in die Luft gejagt, alles wäre hochgegangen, außer meinem Vaterland; für einen Augenblick wäre das wirbelnde Raketenbündel eines unvergeßlichen Feuerwerks gewesen und dann nichts mehr: die Nacht und mein Name, allein, auf der ehernen Tafel. *Pause.* Zugegeben, ich hatte Angst. Die Prinzipien, meine Liebe, immer die Prinzipien. Diese beiden unbekannten Gefangenen, du wirst denken, daß ich meine eigenen Männer ihnen vorgezogen hätte. Dennoch war es nötig, daß ich nein sagte! Ich und ein Kannibale?

Erlauben Sie: höchstens ein Vegetarier. *Pause. Geschwollen, apodiktisch.* Wer nicht alles tut, tut nichts, ich habe nichts getan. Wer nichts getan hat, ist niemand. Niemand? *Meldet sich wie beim Appell.* Hier! *Pause. Zu Johanna.* Das ist der erste Punkt der Anklage.

JOHANNA: Ich spreche dich frei.

FRANZ: Ich sage dir doch, daß man sich damit erst herumschlagen muß!

JOHANNA: Ich liebe dich.

FRANZ: Johanna! *Es klopft an die Eingangstür, 5, 4, zweimal 3 Schläge. Sie sehen sich an.* Gut, es war ein bißchen spät.

JOHANNA: Franz ...

FRANZ: Etwas zu spät, mich freizusprechen. *Pause.* Der Vater hat gesprochen. *Pause.* Johanna, jetzt wirst du einer Hinrichtung beiwohnen.

JOHANNA *sieht ihn an:* Deiner? *Es klopft wieder.* Und du wirst dich umbringen lassen? *Pause.* Du liebst mich also nicht?

FRANZ *lacht leise:* Von unserer Liebe werde ich gleich noch sprechen ... *Zeigt auf die Tür.* ... in ihrer Gegenwart. Es wird nicht sehr schön sein. Und denke daran: ich werde dich um Hilfe bitten, und du wirst sie mir nicht gewähren. *Pause.* Wenn es noch eine Chance gibt ... Geh da hinein. *Er zerrt sie zum Badezimmer. Sie geht hinein. Er schließt die Tür und geht, um Leni zu öffnen.*

8. SZENE

Franz, Leni

Franz nimmt überstürzt seine Armbanduhr ab und steckt sie in die Tasche. Leni tritt ein, sie trägt einen Teller mit einem kleinen Napfkuchen mit Zuckerglasur. Auf dem Kuchen vier Kerzen. Sie hat die Zeitung unter dem linken Arm.

FRANZ: Warum störst du mich um diese Zeit?

LENI: Du weißt die Uhrzeit?

FRANZ: Ich weiß, daß du eben erst gegangen bist.

LENI: Die Zeit ist dir nur so rasch vergangen.

FRANZ: Ja. *Zeigt auf den Kuchen.* Was ist das?

LENI: Ein kleiner Kuchen: ich hätte ihn dir morgen zum Dessert gebracht.

FRANZ: Aber?

LENI: Du siehst ja: ich bringe ihn dir heute abend. Mit Kerzen.
FRANZ: Mit Kerzen, warum?
LENI: Zähle sie.
FRANZ: Eins, zwei, drei, vier. Na und?
LENI: Du bist vierunddreißig Jahre.
FRANZ: Ja: seit dem 15. Februar.
LENI: Der 15. Februar, das war ein Geburtstag.
FRANZ: Und heute?
LENI: Ein Datum.
FRANZ: Gut. *Er nimmt den Teller und trägt ihn zum Tisch.* «Franz»! Hast du meinen Namen darauf geschrieben?
LENI: Wer sonst, glaubst du?
FRANZ: Der Ruhm! *Er denkt über seinen Namen nach.* «Franz» ... in rosa Zuckerguß. Schöner, aber weniger schmeichelhaft als in ehernen Lettern. *Er zündet die Kerzen an.* Brennt langsam, Lichter: eure Verzehrung wird auch die meine sein. *Lässig.* Du hast den Vater gesehen!
LENI: Er hat mich besucht.
FRANZ: In deinem Zimmer?
LENI: Ja!
FRANZ: Er blieb lange?
LENI: Ziemlich lange.
FRANZ: In deinem Zimmer! Das ist eine ganz seltene Auszeichnung.
LENI: Ich werde für sie zahlen.
FRANZ: Ich auch.
LENI: Du auch.
FRANZ *schneidet zwei Scheiben von dem Kuchen ab:* Das ist mein Leib. *Er gießt Sekt in zwei Gläser.* Das ist mein Blut. *Er hält Leni den Kuchen hin.* Bediene dich. *Sie schüttelt lächelnd den Kopf.* Vergiftet?
LENI: Warum sollte ich?
FRANZ: Du hast einen Grund, warum? *Er reicht ihr ein Glas.* Aber du wirst mit mir anstoßen? *Leni nimmt es und betrachtet es mißtrauisch.* Eine Krabbe?
LENI: Lippenstift. *Er entreißt ihr das Glas und zerschmettert es am Tisch.*
FRANZ: Es ist deines! Du kannst nicht Geschirr spülen. *Er reicht ihr das andere volle Glas. Sie nimmt es. Er gießt Sekt in ein drittes Glas, das er für sich behält.* Trinke auf mich!
LENI: Auf dich! *Sie hebt das Glas.*
FRANZ: Auf mich! *Er stößt mit ihr an.* Was wünschst du mir?
LENI: Daß es nichts gibt.

FRANZ: Nichts? Ach so? Ausgezeichnete Idee! *Hebt sein Glas.* Ich trinke auf nichts. *Er trinkt, setzt sein Glas ab. Leni wankt, er fängt sie in seinen Armen auf und führt sie zum Sessel.* Setze dich, kleine Schwester.

LENI *setzt sich:* Entschuldige bitte: ich bin müde. *Pause.* Und das Schwerste bleibt noch zu tun.

FRANZ: Sehr richtig. *Er wischt sich die Stirn.*

LENI *wie zu sich selbst:* Man erfriert. Noch so ein verdorbener Sommer.

FRANZ *verblüfft:* Man erstickt.

LENI *gutwillig:* So? Vielleicht. *Sie sieht ihn an.*

FRANZ: Du siehst mich so an?

LENI: Ja. *Pause.* Du bist ein anderer geworden. Das müßte man sehen.

FRANZ: Sieht man es nicht?

LENI: Nein. Ich sehe d i c h. Das täuscht. *Pause.* Dafür kann niemand, Liebster: du hättest mich lieben müssen. Aber ich glaube, daß du es nicht konntest.

FRANZ: Ich hatte dich sehr gern.

LENI *heftiger Zornesschrei:* Halt den Mund! *Sie beherrscht sich, aber ihre Stimme behält bis zum Schluß eine große Härte.* Der Vater hat mir gesagt, daß du unsere Schwägerin kennst.

FRANZ: Sie besucht mich von Zeit zu Zeit. Ein sehr braves Mädchen; es freut mich für Werner. Was hast du mir nur erzählt, sie ist überhaupt nicht verwachsen.

LENI: Aber ja.

FRANZ: Aber nein! *Vertikale Handbewegung.* Sie ist . . .

LENI: Ja: sie hat einen geraden Rücken. Aber das hindert sie nicht, doch verwachsen zu sein. *Pause.* Findest du sie schön?

FRANZ: Und du?

LENI: Schön wie der Tod.

FRANZ: Das ist sehr feinsinnig, was du da sagst: ich habe selbst mit ihr darüber gesprochen.

LENI: Ich trinke auf sie! *Sie leert ihr Glas und wirft es fort.*

FRANZ *objektiv:* Bist du eifersüchtig?

LENI: Ich empfinde nichts.

FRANZ: Ja. Es ist noch zu früh.

LENI: Viel zu früh. *Pause. Franz nimmt ein Stück Kuchen und ißt es.*

FRANZ *zeigt auf den Kuchen und lacht:* Das ist ein Magenkränker. *Er hält sein Stück Kuchen in der linken Hand. Mit der rechten öffnet er die Schublade, holt den Revolver hervor, und noch kauend hält er ihn Leni hin.* Nimm.

LENI: Was soll ich damit?

FRANZ *zeigt auf sich:* Drück ab. Und laß sie in Ruhe.

LENI *lacht:* Leg ihn in die Schublade zurück. Ich weiß nicht einmal, wie man es macht.

FRANZ *hält noch immer den Arm ausgestreckt. Der Revolver liegt flach in seiner Hand:* Du wirst ihr nichts Böses tun?

LENI: Habe ich sie dreizehn Jahre gepflegt? Habe ich ihre Zärtlichkeiten erbettelt? Ihren Speichel geleckt? Habe ich sie ernährt, gewaschen, gekleidet, gegen alle verteidigt? Sie schuldet mir nichts, und ich werde sie nicht anrühren. Ich wünschte, sie müßte ein bißchen leiden, aber das wünsche ich nur deinetwegen.

FRANZ *mehr als Bekräftigung:* Ich danke dir alles?

LENI *wild:* Alles!

FRANZ *zeigt auf den Revolver:* Nimm ihn doch.

LENI: Das könnte dir so passen. Welch eine Erinnerung würdest du ihr hinterlassen! Und wie gut ihr der Witwenschleier stehen würde: sie ist wie bestimmt dafür. *Pause.* Ich denke nicht im Traume daran, dich zu töten, mein Liebster, und ich fürchte nichts so sehr wie deinen Tod. Ich bin nur gezwungen, dir sehr weh zu tun: ich habe die Absicht, Johanna alles zu sagen.

FRANZ: Alles?

LENI: Alles. Ich werde dich in ihrem Herzen vernichten. *Die Hand von Franz spannt sich um den Revolver.* Schieß doch auf dein armes Schwesterchen: ich habe einen Brief geschrieben, den Johanna im Unglücksfalle heute abend erhalten wird. *Pause.* Glaubst du, daß ich mich räche?

FRANZ: Du rächst dich nicht?

LENI: Ich tue, was recht ist. Tot oder lebend, es ist gerecht, daß du mir gehörst, denn ich bin die einzige, die dich liebt, wie du bist.

FRANZ: Die einzige? *Pause.* Gestern hätte ich ein Massaker angestellt. Heute ahne ich eine Chance. Eine Chance, hundert zu eins, daß sie mich so akzeptiert, wie ich bin. *Legt den Revolver in das Schubfach zurück.* Wenn du noch am Leben bist, Leni, dann deshalb, weil ich mich entschlossen habe, es bis aufs Letzte ankommen zu lassen.

LENI: Sehr gut. Sie soll wissen, was ich weiß, und die Bessere soll gewinnen. *Sie erhebt sich, geht auf das Badezimmer zu. Während sie hinter ihm vorbeigeht, wirft sie die Zeitung auf den Tisch. Franz fährt auf.*

FRANZ: Was?

LENI: Es ist die Frankfurter Allgemeine: man spricht von uns.

FRANZ: Von dir und mir?

LENI: Von der Familie. Sie machen eine Artikelserie: «Giganten, die Deutschland wieder aufbauten». Ehre, wem Ehre gebührt; sie fangen mit den Gerlachs an.

FRANZ *kann sich nicht entschließen, die Zeitung zu nehmen:* Ist Vater ein Gigant?

LENI *zeigt auf den Artikel:* So sagen sie; du brauchst es nur zu lesen: sie sagen, daß er der Größte von allen ist.

Franz nimmt die Zeitung mit heiserem Knurren; er schlägt sie auf. Er sitzt mit dem Gesicht zum Publikum, den Rücken zum Badezimmer, den Kopf hinter der geöffneten Zeitung verborgen. Leni klopft an die Tür des Badezimmers.

LENI: Mach auf! Ich weiß, daß du da bist.

9. SZENE

Franz, Leni, Johanna

JOHANNA *öffnet die Tür:* Um so besser. Ich verstecke mich nicht gern. *Freundlich.* Guten Tag.

LENI *freundlich:* Guten Tag.

Johanna unruhig, vermeidet Leni, geht direkt zu Franz und sieht ihn lesen.

JOHANNA: Die Zeitung? *Franz dreht sich nicht einmal um. Zu Leni gewendet.* Du gehst schnell vor.

LENI: Ich habe es eilig.

JOHANNA: Eilig, ihn zu töten?

LENI *hebt die Schultern:* Aber nein.

JOHANNA: Beeile dich: wir haben bereits einen Vorsprung! Seit heute bin ich überzeugt, daß er die Wahrheit ertragen wird.

LENI: Wie seltsam: auch er ist überzeugt, daß du sie ertragen wirst.

JOHANNA *lächelnd:* Ich ertrage alles. *Pause.* Der Vater hat dir berichtet?

LENI: Aber ja.

JOHANNA: Er hat mir damit gedroht. Er war es, der mir ermöglichte, hier hereinzukommen.

LENI: Ah!

JOHANNA: Das hat er dir nicht gesagt?

LENI: Nein.

JOHANNA: Er dirigiert uns.

LENI: Es sieht so aus.

JOHANNA: Du findest das richtig.

LENI: Ja.

JOHANNA: Was wünschst du?

LENI *zeigt auf Franz:* Daß du aus seinem Leben verschwindest.

JOHANNA: Ich werde nicht mehr daraus verschwinden.

LENI: Ich werde dafür sorgen.

JOHANNA: Versuch's doch! *Schweigen.*

FRANZ *legt die Zeitung hin, steht auf, geht zu Johanna. Aus großer Nähe:* Du hast mir versprochen, nur mir zu glauben, Johanna, und jetzt ist der Augenblick, dich an dieses Versprechen zu erinnern: heute kann unsere Liebe sich nur daran halten.

JOHANNA: Ich werde nur dir glauben. *Sie sehen sich an. Sie lächelt ihm mit zärtlichem Vertrauen zu, aber das Gesicht von Franz ist leichenblaß und zeigt ein nervöses Zucken. Er zwingt sich, ihr zuzulächeln, wendet sich um, geht an seinen Platz zurück und nimmt wieder seine Zeitung.* Nun, Leni?

LENI: Wir sind zwei. Eine ist zuviel. Welche, das soll sich von selbst herausstellen.

JOHANNA: Wie wollen wir das machen?

LENI: Es bedarf einer ernsthaften Prüfung: wenn du gewinnst, sollst du mich ersetzen.

JOHANNA: Du wirst falschspielen.

LENI: Lohnt sich nicht.

JOHANNA: Weil?

LENI: Weil du verlieren wirst.

JOHANNA: Laß die Prüfung sehen.

LENI: Gut. *Pause.* Er hat dir vom Feldwebel Heinrich erzählt und von den russischen Gefangenen? Er hat sich beschuldigt, seine Kameraden zum Tode verurteilt zu haben, indem er zwei Partisanen das Leben rettete?

JOHANNA: Ja.

LENI: Und du hast ihm gesagt, daß er recht hatte?

JOHANNA *ironisch:* Du weißt ja alles!

LENI: Das soll dich nicht erstaunen: den Hieb hat er mir auch versetzt.

JOHANNA: Also? Behauptest du, er habe gelogen?

LENI: Nichts ist unwahr von dem, was er sagt.

JOHANNA: Aber . . .

LENI: Aber die Geschichte ist noch nicht zu Ende. Johanna, jetzt kommt die Prüfung.

FRANZ: Entsetzlich! *Er wirft die Zeitung auf den Tisch, steht auf, totenbleich, mit irren Augen.* Einhundertzwanzig Helligen! Das würde von der Erde bis zum Mond reichen, wenn man die jährlichen Fahrtstrecken unserer Schiffe aneinanderreiht. Deutschland ist wieder auferstanden; es lebe Deutschland! *Er geht mit mechanischen Schritten auf Leni zu.* Danke, liebe Schwester. Laß uns jetzt allein.

LENI: Nein.

FRANZ *herrisch, schreiend:* Ich habe gesagt: Laß uns allein. *Er will sie fortzerren.*

JOHANNA: Franz!

FRANZ: Was denn?

JOHANNA: Ich will das Ende der Geschichte wissen.

FRANZ: Die Geschichte hat kein Ende: Alle sind tot, außer mir.

LENI: Sieh ihn dir an. Eines Tages, 1949, hat er mir alles gestanden.

JOHANNA: Gestanden? Was?

FRANZ: Märchen. Kann man denn mit ihr ernsthaft reden? Es war nur ein Scherz! *Pause.* Johanna, du hast mir versprochen, nur mir zu glauben.

JOHANNA: Ja.

FRANZ: Glaube mir, großer Gott! Glaube mir doch!

JOHANNA: Ich ... In ihrer Gegenwart bist du nicht mehr der gleiche. *Leni lacht.* Erwecke doch in mir das Verlangen, dir zu glauben! Sag mir, daß sie lügt, sprich! Du hast nichts getan, nicht wahr?

FRANZ *es ist fast nur ein Knurren:* Nichts.

JOHANNA *mit Heftigkeit:* Aber sag es, ich muß dich hören! Sag: ich habe nichts getan!

FRANZ *mit verwirrter Stimme:* Ich habe nichts getan.

JOHANNA *sieht ihn fast mit Entsetzen an und beginnt zu schreien:* Ha! *Sie erstickt ihren Schrei.* Ich erkenne dich nicht wieder.

FRANZ *sich versteifend:* Ich habe nichts getan.

LENI: Du hast ihn gewähren lassen.

JOHANNA: Wen?

LENI: Heinrich.

JOHANNA: Die beiden Kriegsgefangenen?

LENI: Die zuerst.

JOHANNA: Es gab noch andere?

LENI: Nur der erste Schritt fällt schwer.

FRANZ: Ich werde es erklären. Wenn ich euch beide zugleich sehe, verliere ich den Kopf. Ihr tötet mich ... Johanna, als wir allein waren ... Es ging alles so schnell ... Aber ich werde meine Gründe wiederfinden, ich werde die ganze Wahrheit sagen. Johanna, ich liebe dich mehr als mein Leben ... *Er nimmt sie beim Arm, sie macht sich mit einem Schrei los.*

JOHANNA: Laß mich los! *Sie stellt sich neben Leni. Franz bleibt stumpfsinnig vor ihr stehen.*

LENI *zu Johanna:* Die Prüfung hat sehr schlecht begonnen.

JOHANNA: Ich habe nicht bestanden. Behalte ihn!

FRANZ *verstört:* Hört mich an, ihr beiden . . .

JOHANNA *fast mit Haß:* Du hast Menschen gefoltert! Du!

FRANZ: Johanna! *Sie sieht ihn an.* Nicht diese Augen! Nein! Nicht diese Augen! *Pause.* Ich wußte es! *Er bricht in Lachen aus und geht auf alle viere.* Im Krebsgang! Im Krebsgang! *Leni schreit. Er steht auf.* Du hast mich nie als Krabbe gesehen, Schwesterchen? *Pause.* Geht! Alle beide! *Leni geht auf den Tisch zu und will die Schublade öffnen.* Fünf Uhr zehn. Sagt meinem Vater, daß ich ihm um sieben Uhr im Beratungszimmer eine Zusammenkunft gewähre. Raus! *Langes Schweigen. Das Licht wird schwächer. Johanna geht als erste hinaus, ohne sich umzusehen. Leni zögert etwas und folgt ihr. Franz setzt sich und nimmt wieder die Zeitung.* Einhundertzwanzig Helligen! Ein Imperium!

ENDE DES VIERTEN AKTES

FÜNFTER AKT

Gleiches Bühnenbild wie im ersten Akt. Es ist sieben Uhr. Der Tag geht zur Neige. Man bemerkt es noch nicht, da die Läden der Glastüren geschlossen sind und die Szenerie in Halbdämmer getaucht ist. Die Turmuhr schlägt sieben Mal. Beim dritten Schlag öffnet sich der Laden der linken Glastür von außen, und Licht fällt ein. Der Vater öffnet die Glastür und tritt ein. Im gleichen Augenblick öffnet sich die Tür von Franz auf der ersten Etage, und Franz erscheint auf dem Treppenabsatz. Die beiden Männer sehen sich einen Augenblick an. Franz trägt einen kleinen schwarzen, mit Holzleisten beschlagenen Koffer in der Hand: sein Magnetophongerät.

1. SZENE

Der Vater, Franz

FRANZ *ohne sich zu rühren:* Guten Tag, Vater.

DER VATER *mit natürlicher und vertrauter Stimme:* Guten Tag, mein Junge. *Er schwankt und hält sich rasch an der Rücklehne eines Stuhles fest.* Warte: ich mache Licht. *Er öffnet die andere Glastür und stößt den Fensterladen auf. Das gleiche grünliche Licht wie am Ende des ersten Aktes erfüllt die Szenerie.*

FRANZ *ist eine Stufe herabgestiegen:* Ich höre.

DER VATER: Ich habe dir nichts zu sagen.

FRANZ: Wie? Du belästigst Leni mit Bittgesuchen . . .

DER VATER: Mein liebes Kind, ich bin in diesem Pavillon, weil du mich hierhergerufen hast.

FRANZ *betrachtet ihn mit Verblüffung, bricht dann in Lachen aus:* Das ist weiß Gott wahr. *Er steigt eine Stufe herab und bleibt stehen.* Eine gute Partie. Du hast Johanna gegen Leni ausgespielt, dann Leni gegen Johanna. In drei Zügen matt.

DER VATER: Wer ist matt?

FRANZ: Ich, der schwarze König. Ist es dir nicht lästig, zu gewinnen?

DER VATER: Alles ist mir lästig, mein Sohn, außer dem einen: man gewinnt nie; ich versuche den Einsatz zu retten . . .

Franz *hebt die Schultern:* Zu guter Letzt machst du doch immer, was du willst.

Der Vater: Das ist die sicherste Methode zu verlieren.

Franz *rauh:* Was das betrifft, ja! *Plötzlich.* Was willst du nun wirklich?

Der Vater: Im Augenblick? Dich sehen.

Franz: Da bin ich. Sieh dich nur satt, so gut du noch kannst: Ich habe dir ganz besondere Nachrichten vorbehalten. *Der Vater hustet.* Huste nicht.

Der Vater *fast demütig:* Ich will es versuchen. *Er hustet noch einmal.* Das ist nicht sehr einfach. *Er nimmt sich zusammen.* So, jetzt.

Franz *sieht seinen Vater an, langsam:* Warum so traurig? *Pause.* So lächle doch! Dies ist ein Fest: Vater und Sohn sehen sich wieder, man schlachtet das fette Kalb. *Plötzlich.* Du wirst nicht mein Richter sein.

Der Vater: Wer spricht denn davon?

Franz: Dein Blick. *Pause.* Zwei Verbrecher: der eine verurteilt den anderen im Namen von Prinzipien, die sie beide verletzt haben; wie nennt man eine solche Farce?

Der Vater *ruhig und tonlos:* Gerechtigkeit. *Ein kurzes Schweigen.* Du bist ein Verbrecher?

Franz: Ja. Du auch. *Pause.* Du kannst nicht Richter sein.

Der Vater: Warum wolltest du dann mit mir sprechen?

Franz: Um dich darüber zu informieren: ich habe alles verloren, du wirst alles verlieren. *Pause.* Schwöre auf die Bibel, daß du mich nicht richten wirst! Schwöre, oder ich gehe augenblicklich in mein Zimmer zurück.

Der Vater *geht zur Bibel, öffnet sie, erhebt die Hand:* Ich schwöre.

Franz: Gott sei Dank! *Er kommt herunter, geht bis zum Tisch und legt das Tonbandgerät darauf. Er wendet sich um. Vater und Sohn stehen sich auf gleicher Höhe von Angesicht zu Angesicht gegenüber.* Wo sind die Jahre hin? Du bist doch nicht verändert.

Der Vater: Doch.

Franz *nähert sich wie fasziniert. Mit betonter, aber defensiver Anmaßung:* Ich sehe dich ohne jede Rührung wieder. *Pause. Er hebt die Hand und legt sie mit einer fast unfreiwilligen Gebärde auf den Arm seines Vaters.* Der alte Hindenburg, wie? *Er wirft sich zurück. Trocken und böse.* Ich habe Menschen gefoltert. *Schweigen. Mit Heftigkeit:* Hörst du?

Der Vater *ohne das Gesicht zu verändern:* Ja, sprich weiter.

FRANZ: Das ist alles. Die Partisanen beunruhigten uns. Sie hatten den Beistand des Dorfes: ich habe versucht, die Dorfbewohner zum Sprechen zu bringen. *Schweigen. Trocken und nervös.* Immer dieselbe Geschichte.

DER VATER *schwer und langsam, aber ohne Ausdruck.* Immer. *Pause. Franz sieht ihn voller Hochmut an.*

FRANZ: Du verurteilst mich, glaube ich?

DER VATER: Nein.

FRANZ: Um so besser. Mein lieber Vater, um dir vorzugreifen: ich bin ein Folterknecht, weil du ein Denunziant bist.

DER VATER: Ich habe niemanden denunziert.

FRANZ: Und den polnischen Rabbiner?

DER VATER: Selbst ihn nicht. Ich habe ein Risiko auf mich genommen . . . ein sehr unangenehmes Risiko.

FRANZ: Ich behaupte nichts anderes. *Sieht das Vergangene vor sich.* Ein unangenehmes Risiko? Auch ich habe es auf mich genommen. *Lacht.* Oh! Sehr unangenehm! *Er lacht. Der Vater benutzt die Gelegenheit, um zu husten.* Was ist das?

DER VATER: Ich lache mit dir.

FRANZ; Du hustest! Hör auf, verdammt noch mal, du zerreißt mir die Kehle.

DER VATER: Entschuldige.

FRANZ: Wirst du sterben?

DER VATER: Das weißt du doch.

FRANZ *kommt näher. Plötzlicher Rückzug:* Gute Beerdigung! *Seine Hände zittern.* Das muß elend weh tun.

DER VATER: Was?

FRANZ: Dieser gottverdammte Husten.

DER VATER *gereizt:* Aber nein. *Der Husten kommt wieder und beruhigt sich dann.*

FRANZ: Ich kann deine Leiden nachfühlen. *Mit festem Blick.* Mir fehlte es an Vorstellungskraft.

DER VATER: Wann?

FRANZ: Da unten. *Langes Schweigen. Er hat sich vom Vater abgewendet, sieht auf die Tür im Hintergrund. Während er spricht, erlebt er seine Vergangenheit noch einmal, außer wenn er sich direkt an den Vater wendet.* Die Vorgesetzten: zu Mus gemacht; der Feldwebel und Klages: in meiner Hand; die Soldaten: mir zu Füßen. Einzige Weisung: halten. Ich halte. Ich bestimmte Lebende und Tote: du, geh und laß dich töten! Du, bleibe hier! *Pause. An der Rampe, würdevoll und düster.* Ich habe höchste Befehlsgewalt. *Pause.* Eh, was? *Er scheint einem unsichtbaren Ge-*

sprächspartner zu lauschen, wendet sich dann seinem Vater zu. Man fragt mich: «Was wirst du mit ihr anfangen?»

DER VATER: Wer?

FRANZ: Es war in der Luft der Nacht. Aller Nächte. *Er ahmt das Flüstern unsichtbarer Gesprächspartner nach.* Was wirst du mit ihr anfangen? Was wirst du mit ihr anfangen? *Schreit.* Schwachköpfe! Ich werde bis ans Ende gehen! Bis ans Ende der Macht! *Plötzlich zum Vater.* Weißt du, warum?

DER VATER: Ja.

FRANZ *verblüfft:* So?

DER VATER: Einmal in deinem Leben hast du die Ohnmacht kennengelernt.

FRANZ *schreiend und lachend:* Der alte Hindenburg in bester Form: er lebe hoch! Ja, die habe ich kennengelernt. *Hört auf zu lachen.* Hier, durch dich! Du hattest ihnen den Rabbiner ausgeliefert, zu viert haben sie mich festgehalten, und die anderen haben ihn umgebracht. Was konnte ich tun? *Er hebt den kleinen Finger seiner linken Hand und betrachtet ihn.* Nicht einmal den kleinen Finger heben. *Pause.* Seltsame Erfahrung, aber ich empfehle sie den zukünftigen Führern nicht: man erholt sich von ihr nicht. Du hast mich zum Prinzen gemacht, lieber Vater, und weißt du, wer mich zum König machte?

DER VATER: Hitler.

FRANZ: Ja. Durch die Scham. Nach diesem . . . Zwischenfall wurde die Macht meine Berufung. Weißt du auch, daß ich ihn bewundert habe?

DER VATER: Hitler?

FRANZ: Du wußtest das nicht? Oh! Ich habe ihn gehaßt. Vorher, nachher. Aber an jenem Tag hat er mich besessen. Zwei Führer, die müssen sich gegenseitig töten, oder einer muß die Frau des anderen werden. Ich war die Frau Hitlers. Der Rabbiner wurde umgebracht, und ich entdeckte im Herzen meiner Ohnmacht ich weiß nicht was für eine Zustimmung. *Er schaut in die Vergangenheit.* Ich habe höchste Befehlsgewalt. Hitler hat mich zu einem anderen gemacht, unversöhnlich und geweiht: er selbst. Ich bin Hitler, und ich werde mich selbst übertreffen. *Pause. Zum Vater.* Keine Lebensmittel mehr; meine Soldaten schlichen um den Schuppen. *Er erlebt das Vergangene noch einmal.* Vier gute Deutsche werden mich zu Boden schlagen, und meine eigenen Männer werden die Gefangenen ausbluten lassen, bis sie weiß sind. Nein! Ich werde niemals wieder in jene verächtliche Ohnmacht zurückfallen. Ich schwöre es. Es ist stockfinster. Das Entsetzen liegt noch in Ketten . . . ich werde schnell sein: wenn jemand es entfesselt, dann ich. Ich werde das Böse fordern, ich werde meine Macht manifestieren durch die Einmaligkeit einer unvergeßlichen Tat: den Menschen noch zu Lebzeiten in ein Geschmeiß zu verwandeln; ich werde mich mit den Gefangenen allein beschäftigen, ich werde sie in die tiefste Erniedrigung stürzen: sie werden sprechen. Die Macht ist ein Abgrund, dessen Grund ich sehe: es genügt nicht, die zukünftigen Toten zu bestimmen, mit einem Federmesser und einem Feuerzeug werde ich über das Menschenreich entscheiden. *Außer sich.* Faszinierend! Die Herrscher kommen in die Hölle, das ist ihr Ruhm: ich werde gehen. *Er steht wie in einer Halluzination an der Rampe.*

DER VATER *ruhig:* Haben sie gesprochen?

FRANZ *aus seinen Erinnerungen gerissen:* Eh, was? *Pause.* Nein. *Pause.* Starben vorher.

DER VATER: Wer verliert, gewinnt.

FRANZ: Eh! Das lernt sich alles: hatte nicht die richtige Hand dafür. Noch nicht.

DER VATER *trauriges Lächeln:* Trotzdem: über das Menschenreich haben s i e bestimmt.

FRANZ *brüllend:* Ich hätte gehandelt wie sie! Ich wäre unter den Schlägen gestorben, ohne ein Wort zu sagen! *Er beruhigt sich.* Und außerdem mache ich mir nichts draus! Ich habe meine Autorität bewahrt.

DER VATER: Lange?

FRANZ: Zehn Tage. Am Ende dieser zehn Tage haben die feindlichen Panzer angegriffen, und wir sind alle tot — — sogar die Gefangenen. *Lacht.* Pardon! Außer mir! Ich bin nicht tot! Überhaupt nicht tot! *Pause.* Nichts ist gewiß von dem, was ich sage — außer daß ich Menschen gefoltert habe.

DER VATER: Und dann? *Franz hebt die Schultern.* Du bist auf den Rückzugsstraßen marschiert? Du hast dich verborgen? Und dann bist du zu uns zurückgekommen?

FRANZ: Ja. *Pause.* Die Ruinen rechtfertigen mich: ich liebte unsere geplünderten Häuser, unsere verstümmelten Kinder. Ich habe vorgegeben, mich einzuschließen, weil ich nicht am Todeskampf Deutschlands teilnehmen wollte; das stimmt nicht! Ich habe den Tod meines Landes herbeigesehnt, und ich habe mich eingeschlossen, um nicht Zeuge seiner Wiederauferstehung zu sein. *Pause.* Richte mich!

DER VATER: Du hast mich auf die Bibel schwören lassen . . .

FRANZ: Ich habe meine Meinung geändert: lassen wir das.

Der Vater: Nein.
Franz: Ich sage dir doch, daß ich dich von deinem Eide entbinde.
Der Vater: Würde der Folterknecht den Richtspruch des Denunzianten akzeptieren?
Franz: Es gibt keinen Gott, nicht wahr?
Der Vater: Ich fürchte, es gibt keinen: das ist mitunter sogar ziemlich unangenehm.
Franz: Denunziant oder nicht, du bist mein natürlicher Richter. *Pause. Der Vater schüttelt den Kopf.* Du richtest mich nicht? Überhaupt nicht? Also hast du etwas anderes im Sinn! Das wird noch schlimmer sein! *Plötzlich.* Du wartest. Worauf?
Der Vater: Auf nichts: du bist da.
Franz: Du wartest! Ich kenne es, dein langes, langes Warten, ich habe schon Harte und Böse vor dir stehen sehen. Sie beleidigten dich, du sagtest nichts, du wartetest: schließlich schmolzen die Schwachköpfe. *Pause.* Sprich! Sprich! Sag irgend etwas. Das ist unerträglich. *Pause.*
Der Vater: Was wirst du tun?
Franz: Ich werde wieder hinaufgehen.
Der Vater: Wann wirst du wieder herunterkommen?
Franz: Nie wieder.
Der Vater: Du wirst niemanden empfangen?
Franz: Ich werde Leni empfangen: zur Aufwartung.
Der Vater: Und Johanna?
Franz *trocken:* Aus! *Pause.* Dieses Mädchen hat versagt ...
Der Vater: Du liebtest sie?
Franz: Die Einsamkeit lastet auf mir. *Pause.* Wenn sie mich akzeptiert hätte ... wie ich bin ...
Der Vater: Akzeptierst du dich denn selbst?
Franz: Und du? Akzeptierst du mich?
Der Vater: Nein.
Franz *zutiefst getroffen:* Nicht einmal der Vater.
Der Vater: Nicht einmal er.
Franz *mit entstellter Stimme:* Also? Was haben wir noch miteinander zu schaffen? *Der Vater antwortet nicht. Mit tiefer Bangigkeit.* Oh! Ich hätte dich nicht wiedersehen sollen. Ich habe es geahnt. Ich habe es geahnt.
Der Vater: Was geahnt?
Franz: Was mir geschehen würde.
Der Vater: Es geschieht dir nichts.
Franz: Noch nicht. Aber du bist dort und ich hier: wie in meinen Träumen. Und, wie in meinen Träumen, wartest du. *Pause.* Sehr

gut. Ich kann auch warten. *Zeigt auf die Tür zu seinem Zimmer.* Zwischen dich und mich werde ich diese Tür setzen. Sechs Monate Geduld. *Zeigt mit einem Finger auf den Kopf des Vaters.* In sechs Monaten wird dieser Schädel leer sein, seine Augen werden nichts mehr sehen, Würmer werden diese Lippen durchwühlen und die Verachtung, die sie aufwirft.

DER VATER: Ich verachte dich nicht.

FRANZ *ironisch:* Wirklich! Nach allem, was ich dir mitgeteilt habe?

DER VATER: Du hast mir überhaupt nichts mitgeteilt.

FRANZ *verblüfft:* Bitte?

DER VATER: Deine Geschichte von Smolensk kenne ich seit drei Jahren.

FRANZ *heftig:* Unmöglich! Tote! Keine Zeugen! Tot und begraben. Alle.

DER VATER: Außer den beiden, die die Russen befreit haben. Sie haben mich besucht. Das war im März 1956. Ferist und Scheidemann: kannst du dich an sie erinnern?

FRANZ *fassungslos:* Nein. *Pause.* Was wollten sie?

DER VATER: Schweigegeld.

FRANZ: Und?

DER VATER: Ich lasse mich nicht erpressen.

FRANZ: Sie sind . . .

DER VATER: Stumm. Du hattest sie vergessen: fahre fort.

FRANZ *den Blick ins Leere:* Drei Jahre?

DER VATER: Drei Jahre. Fast gleichzeitig habe ich dein Ableben angezeigt, und im darauffolgenden Jahr habe ich Werner zurückgerufen: das war umsichtiger.

FRANZ *hat nicht zugehört:* Drei Jahre! Ich hielt Reden an die Krabben, ich log ihnen etwas vor! Und drei Jahre hindurch war ich hier bloßgestellt. *Plötzlich.* Seit diesem Augenblick hast du versucht, mich zu sprechen, nicht wahr?

DER VATER: Ja.

FRANZ: Warum?

DER VATER *hebt die Schultern:* Einfach so!

FRANZ: Sie saßen in deinem Büro, du hast sie angehört, weil sie mich gekannt hatten und auch, weil – im geeigneten Augenblick – einer von ihnen zu dir sagte: «Franz Gerlach ist ein Schinder». Theatertrick! *Versucht zu scherzen.* Das hat dich ziemlich überrascht, hoffe ich?

DER VATER: Nein. Nicht sehr.

FRANZ *schreit:* Ich war sauber, als ich dich verließ! Ich war rein, ich wollte den Polen retten . . . Nicht überrascht? *Pause.* Was dachtest du? Du weißt noch nichts, und plötzlich wußtest du? *Schreit lauter.* Was hast du gedacht, um Gottes willen!

DER VATER *mit großer Zärtlichkeit und düster:* Mein armer Kleiner!

FRANZ: Was?

DER VATER: Du fragst mich, was ich gedacht habe! Ich werde es dir sagen. *Pause. Franz richtet sich in seiner ganzen Größe wieder auf und wirft sich dann schluchzend an die Schulter seines Vaters.* Mein armer Kleiner! *Er streichelt ihm linkisch den Nacken.* Mein armer Kleiner! *Pause.*

FRANZ *richtet sich plötzlich wieder auf:* Halt! *Pause.* Überraschungseffekt! Sechzehn Jahre habe ich nicht mehr geweint: ich werde erst in sechzehn Jahren wieder damit anfangen. Beklage mich nicht, das reizt mich zu beißen. *Pause.* Ich liebe mich nicht allzusehr.

DER VATER: Warum solltest du dich lieben?

FRANZ: Warum auch.

DER VATER: Das ist meine Sache.

FRANZ: Liebst du mich denn? Liebst du den Schinder von Smolensk?

DER VATER: Der Schinder von Smolensk, das bist du.

FRANZ: Gut, gut, genier dich nicht. *Absichtlich vulgäres Lachen.* Die Natur kennt viele Geschmäcker. *Plötzlich.* Du quälst mich! Wenn du mir deine Gefühle zeigst, so nur, weil sie deinen Plänen dienlich sind. Ich sage dir, du quälst mich: mit groben Ausfällen; und dann wird man mürbe; wenn du mich auf der Stelle richten würdest . . . Los! Du hast mehr als genug Zeit gehabt, um dir die Sache zu überlegen, und du bist zu herrisch, um sie nicht nach deiner Façon zu regeln.

DER VATER *mit düsterer Ironie:* Herrisch! Das ist mir gründlich vergangen. *Pause. Er lacht vor sich hin, aufgeheitert, aber unheilvoll. Dann wendet er sich Franz zu. Mit großer Zärtlichkeit, erbarmungslos.* Was aber diese Affäre angeht, ja: ich werde sie regeln.

FRANZ *prallt zurück:* Ich werde dich daran hindern: was geht es dich an?

DER VATER: Ich will, daß du nicht länger leidest.

FRANZ *hart und brutal, als klage er eine andere Person an:* Ich leide nicht: ich habe leiden lassen. Vielleicht begreifst du die Nuance?

DER VATER: Ich begreife sie.

FRANZ: Ich habe alles vergessen. Sogar ihr Schreien. Ich bin leer.

DER VATER: Ich weiß. Das ist noch härter, nicht wahr?

FRANZ: Warum sollte es?

DER VATER: Du bist seit vierzehn Jahren von einem Leiden besessen, das du selbst hervorgebracht hast und das du gar nicht spürst.

FRANZ: Aber wer hat dich gebeten, von mir zu sprechen? Ja. Es ist noch härter: ich bin sein Pferd, das Leiden reitet mich mit kurzem Bügel. Einen solchen Reiter wünsche ich dir nicht. *Plötzlich.* Und? Welcher Ausweg? *Er sieht seinen Vater mit weit aufgerissenen Augen an.* Geh zum Teufel! *Er wendet ihm den Rücken und steigt mühsam die Treppe wieder hinauf.*

DER VATER *hat keine Bewegung gemacht, ihn zurückzuhalten. Aber als Franz auf dem Treppenabsatz der ersten Etage angelangt ist, spricht er mit starker Stimme:* Deutschland ist in deinem Zimmer! *Franz dreht sich langsam wieder um.* Es lebt, Franz! Das wirst du nicht mehr vergessen.

FRANZ: Es fristet kümmerlich sein Dasein, ich weiß, trotz seiner Niederlage ... Ich werde mich darauf einrichten.

DER VATER: Wegen seiner Niederlage ist es die größte Macht Europas. Wirst du dich darauf einrichten? *Pause.* Wir sind der Zankapfel und der Einsatz. Man verwöhnt uns; alle Märkte stehen uns offen, unsere Maschinen laufen: wie in einer Schmiede. Gottgesandte Niederlage, Franz: Wir haben Butter und Kanonen. Soldaten, mein Sohn! Morgen die Bombe! Nun werden wir nur noch die Mähne schütteln, und dann wirst du sie wie die Flöhe springen sehen, unsere Bevormunder!

FRANZ *in letzter Verteidigung:* Wir beherrschen Europa, und wir sind geschlagen. Was hätten wir als Sieger gemacht?

DER VATER: Wir konnten nicht siegen.

FRANZ: Diesen Krieg mußten wir verlieren?

DER VATER: Man mußte ihn nach der Regel spielen, wer gewinnt, verliert: wie immer.

FRANZ: Das also hast du gemacht?

DER VATER: Ja: seit der Eröffnung der Feindseligkeiten.

FRANZ: Und jene, die ihr Land so sehr liebten, daß sie ihre militärische Ehre dem Sieg opferten ...

DER VATER *ruhig und hart:* Sie riskierten, das Massaker noch zu verlängern und dem Wiederaufbau zu schaden. *Pause.* Die Wahrheit ist, daß sie nichts anderes getan haben, als ganz private Morde zu begehen.

FRANZ: Guter Gegenstand für Meditationen: etwas, womit ich mich in meinem Zimmer beschäftigen kann.

DER VATER: Du wirst dort keinen Augenblick mehr bleiben.

FRANZ: Darin täuschst du dich. Ich leugne dieses Land, das mich verleugnet.

DER VATER: Das hast du dreizehn Jahre lang versucht: ohne großen Erfolg. Jetzt weißt du alles; wie könntest du mit deiner Komödie wieder anfangen?

FRANZ: Und wie könnte ich es lassen? Deutschland muß krepieren, oder ich muß nach ganz gewöhnlichem Recht ein Verbrecher sein.

DER VATER: Genau.

FRANZ: Und? *Er sieht den Vater an, plötzlich.* Ich will nicht sterben.

DER VATER *ruhig:* Warum nicht?

FRANZ: Du hast gut fragen, du bist am Ende.

DER VATER: Wenn du wüßtest, wie sehr ich darauf pfeife!

FRANZ: Du lügst, Vater: du wolltest Schiffe bauen, und du hast sie gebaut.

DER VATER: Ich habe sie für dich gebaut.

FRANZ: Schau, schau! Ich glaubte, du hättest mich gemacht, für sie! Jedenfalls sind sie da. Wenn du gestorben bist, wirst du eine Flotte sein. Und ich? Was werde ich hinterlassen?

DER VATER: Nichts.

FRANZ *verwirrt:* Darum werde ich hundert Jahre leben. Ich habe nur mein Leben. *Scheu.* Ich habe nichts als das! Man wird es mir nicht nehmen. Glaube mir, daß ich es verabscheue, aber ich ziehe es dem N i c h t s vor.

DER VATER: Dein Leben, dein Tod, sie sind in jedem Falle n i c h t s. Du bist nichts, du tust nichts, du hast nichts getan, du kannst nichts tun. *Lange Pause. Der Vater nähert sich langsam der Treppe. Er lehnt sich an das Geländer unter Franz und spricht zu ihm, den Kopf zu ihm erhoben.* Ich bitte dich um Verzeihung.

FRANZ *in Angst erstarrt:* Mich? Du? Das ist ein Trick! *Der Vater wartet. Plötzlich.* Verzeihung wofür?

DER VATER: Für dich. *Pause. Mit einem Lächeln.* Eltern sind Arschlöcher: Sie halten die Sonne an. Ich glaubte, daß die Welt sich nicht mehr verändern würde. Sie hat sich verändert. Erinnerst du dich an die Zukunft, die ich dir zugedacht hatte?

FRANZ: Ja.

DER VATER: Ich habe immer mit dir darüber gesprochen, und du sahst sie auch. *Franz nickt bestätigend.* Nun – das war nur meine Vergangenheit.

FRANZ: Ja.

DER VATER: Du kanntest sie?

FRANZ: Ich habe sie immer gewußt. Zu Anfang machte sie mir Spaß.

DER VATER: Mein armer Kleiner! Ich wollte, daß du das Unternehmen führst, nach mir. Nun führt das Unternehmen uns. Es wählt sich seine Männer. Mich, mich hat es ausgeschlossen: ich besitze, aber ich befehle nicht mehr. Und dich, kleiner Prinz, dich hat es abgelehnt, vom ersten Augenblick an: wozu braucht es einen Prinzen? Es formt und wählt sich seine Geschäftsführer selbst. *Franz steigt langsam die Stufen hinab, während der Vater spricht.* Ich hatte dir alle Talente und meinen herben Geschmack an der Macht gegeben, aber es hat nichts genützt. Wie schade! Um zu handeln, nahmst du die schlimmsten Risiken auf dich: und wie du siehst, verwandeln sie alle deine Handlungen in bloße Gesten. Deine Marter hat dich zuletzt ins Verbrechen gestürzt, bis sie dich schließlich im Verbrechen auslöscht, sie mästet sich an deinem Untergang. Ich liebe Gewissensbisse nicht, Franz, sie führen zu nichts. Wenn ich glauben könnte, daß du woanders und auf andere Weise nützlich sein könntest . . . Aber ich habe dich zum Monarchen gemacht; heute heißt das: zu nichts tauglich.

FRANZ *mit einem Lächeln:* Ich war geweiht?

DER VATER: Ja.

FRANZ: Der Ohnmacht?

DER VATER: Ja.

FRANZ: Dem Verbrechen?

DER VATER: Ja.

FRANZ: Von dir?

DER VATER: Durch meine Leidenschaften, die ich in dich legte. Sage deinem Gerichtshof der Krabben, daß ich allein schuldig bin — und an allem.

FRANZ *gleiches Lächeln:* Das war es, was ich hören wollte. *Er kommt die letzten Stufen herunter und steht nun auf gleicher Ebene mit seinem Vater.* Nun akzeptiere ich.

DER VATER: Was?

FRANZ: Was du von mir erwartest. *Pause.* Eine einzige Bedingung: alle beide, sofort.

DER VATER *plötzlich fassungslos:* Sofort?

FRANZ: Ja.

DER VATER *mit heiserer Stimme:* Du meinst heute?

FRANZ: Ich meine augenblicklich. *Schweigen.* Das war es doch, was du wolltest?

DER VATER: Nicht . . . so rasch.

FRANZ: Warum nicht?

DER VATER: Ich habe dich gerade erst wiedergefunden.

FRANZ: Du hast n i e m a n d e n wiedergefunden. Nicht einmal dich selbst. *Er ist ruhig und einfach, zum erstenmal, aber auch völlig verzweifelt.* Ich wäre nur eine deiner Vorstellungen gewesen. Die anderen sind in deinem Kopf geblieben. Das Unglück hat es gewollt, daß diese hier sich verkörpert hat. In Smolensk, eines Nachts, gab es . . . was? Eine Minute der Unabhängigkeit. Und darum: du bist an allem schuld, außer an diesem. *Pause.* Ich habe dreizehn Jahre mit einem geladenen Revolver in der Schublade gelebt. Weißt du, warum ich mich nicht getötet habe? Ich sagte mir: was getan ist, bleibt getan. *Pause. Mit tiefem Ernst.* Das Sterben bringt nichts in Ordnung: mir bringt es nichts in Ordnung. Ich wollte lieber . . . du wirst lachen. Ich wollte lieber gar nicht geboren sein. Ich log nicht immer, da oben. Abends ging ich durch das Zimmer spazieren und dachte an dich.

DER VATER: Ich war hier, in diesem Sessel. Du gingst auf und ab: ich hörte deine Schritte.

FRANZ *indifferent und tonlos:* So? *Zwingend.* Ich dachte: wenn sich ein Mittel fände, sie wieder einzufangen, diese rebellische Vorstellung, sie wieder in sich zurückzunehmen, sie dort zu resorbieren, es hätte dann nur ihn gegeben.

DER VATER: Franz, es hat immer nur mich gegeben.

FRANZ: Das ist schnell gesagt: beweise es. *Pause.* So wahr wir leben, so wahr sind wir zwei Wesen. *Pause.* Der Mercedes hatte sechs Plätze, aber du nahmst nur mich mit. Du sagtest: «Franz, du mußt dich abhärten, wir werden jetzt sehr schnell fahren.» Ich war acht Jahre alt, wir fuhren die Straße am Elbufer entlang . . . gibt es sie noch, die Teufelsbrücke?

DER VATER: Es gibt sie noch.

FRANZ: Ein gefährlicher Übergang: Jedes Jahr gab es Tote.

DER VATER: Jedes Jahr sind es mehr.

FRANZ: Du sagtest: «So, jetzt» und tratest auf den Gashebel. Ich war ganz verrückt vor Angst und Freude.

DER VATER *lächelt ein wenig:* Einmal haben wir uns fast überschlagen.

FRANZ: Zweimal. Fahren die Autos heute sehr viel schneller?

DER VATER: Der Porsche deiner Schwester fährt 180.

FRANZ: Nehmen wir den.

DER VATER: So rasch! . . .

FRANZ: Was erhoffst du?

DER VATER: Einen Augenblick Ruhe.

FRANZ: Du hast ihn. *Pause.* Du weißt sehr wohl, daß er nicht lange dauert. *Pause.* Ich verbringe keine Stunde, ohne dich zu hassen.

DER VATER: In diesem Augenblick?

FRANZ: In diesem Augenblick, nein. *Pause.* Dein Ebenbild wird zu

Staub zerfallen, zusammen mit allen Zellen, die deinen Kopf niemals verlassen haben. Du wirst meine Ursache und mein Schicksal gewesen sein, bis zum Ende. *Pause.*

DER VATER: Gut. *Pause.* Ich habe dich gemacht, ich werde dich vernichten. Mein Tod wird den deinen einhüllen, und endlich werde ich allein sein zum Sterben. *Pause.* Warte. Ich dachte nicht, daß es auch mit mir so schnell gehen würde. *Mit einem Lächeln, das seine Angst nur schlecht verbirgt.* Seltsam, ein Leben, das unter offenem Himmel zerbirst. Das ... Das will nichts heißen. *Pause.* Ich werde keinen Richter haben. *Pause.* Weißt du, auch ich habe mich nicht geliebt.

FRANZ *legt seine Hand auf den Arm des Vaters:* Das war meine Sache.

DER VATER *wie eben:* Kurz und gut. Ich bin der Schatten einer Wolke; ein Gewitterregen, und die Sonne wird den Platz erhellen, an dem ich gelebt habe. Ich pfeife darauf: wer gewinnt, verliert: das Unternehmen, das uns vernichtet, ich habe es geschaffen. Es gibt nichts zu bedauern. *Pause.* Franz, willst du jetzt ein bißchen schnell fahren? Das wird dich abhärten.

FRANZ: Nehmen wir den Porsche?

DER VATER: Gewiß. Ich hole ihn aus der Garage. Warte auf mich.

FRANZ: Du gibst das Signal?

DER VATER: Die Scheinwerfer? Ja. *Pause.* Leni und Johanna sind auf der Terrasse. Sage ihnen Lebwohl.

FRANZ: Ich ... Gut. Rufe sie.

DER VATER: Bis gleich, mein Kleiner. *Er geht.*

2. SZENE

Franz allein, dann Leni und Johanna

Man hört den Vater hinter der Bühne rufen

DER VATER *hinter der Bühne:* Johanna! Leni!

Franz geht zum Kamin und betrachtet sein Photo. Plötzlich reißt er den Trauerflor ab und wirft ihn zu Boden.

LENI *erscheint auf der Schwelle:* Was machst du da?

FRANZ *lacht:* Ich lebe doch, nicht wahr?

Johanna tritt ein. Er kommt an die Rampe zurück.

LENI: Sie sind in Zivil, Herr Leutnant?

FRANZ: Der Vater wird mich ausfahren, nach Hamburg, und ich

werde morgen an Bord gehen. Ihr seht mich nicht wieder. Du hast gewonnen, Johanna. Werner ist frei. Frei wie die Luft. Viel Glück. *Er steht direkt neben dem Tisch, berührt das Magnetophongerät mit dem Zeigefinger.* Ich schenke euch das Magnetophongerät. Mit seiner besten Aufnahme: vom 17. Dezember 1953. Ich war inspiriert. Ihr sollt es euch später anhören: an einem Tag, an dem ihr die Beweisführung der Verteidigung hören oder euch ganz einfach an meine Stimme erinnern wollt. Nehmt ihr es an?

JOHANNA: Ich nehme es an.

FRANZ: Adieu.

JOHANNA: Adieu.

FRANZ: Adieu, Leni. *Er streicht ihr übers Haar wie der Vater.* Deine Haare sind weich.

LENI: Welchen Wagen nehmt ihr?

FRANZ: Deinen.

LENI: Und welchen Weg fahrt ihr?

FRANZ: Über die Elbchaussee.

Zwei Autoscheinwerfer gehen draußen an; ihr Licht erhellt die Bühne durch die Glastür.

LENI: Ich sehe, daß der Vater dir Zeichen gibt. Adieu.

Franz geht. Lärm des Autos. Der Lärm schwillt an und schwindet. Die Lichter haben die andere Glastür gestreift und sind verschwunden. Der Wagen ist abgefahren.

3. SZENE

Johanna, Leni

LENI: Wie spät ist es?

JOHANNA: Sieben Uhr zweiunddreißig.

LENI: Um sieben Uhr neununddreißig wird mein Porsche im Wasser sein. Adieu.

JOHANNA *ergriffen:* Warum?

LENI: Weil die Teufelsbrücke sieben Minuten von hier entfernt ist.

JOHANNA: Sie werden . . .

LENI: Ja.

JOHANNA *hart und rauh:* Du hast ihn getötet.

LENI *ebenfalls hart:* Und du? *Pause.* Was kann das schon ausmachen: er wollte nicht leben.

JOHANNA *die sich zusammennimmt, aber nahe am Zusammenbrechen:* Sieben Minuten.

LENI *geht auf die Standuhr zu:* Jetzt noch sechs Minuten. Nein. Fünfeinhalb.

JOHANNA: Könnte man nicht ...

LENI *immer noch hart:* Sie zurückhalten? Versuch's doch. *Schweigen.* Was wirst du jetzt tun?

JOHANNA *versucht sich zu verhärten:* Werner wird darüber entscheiden. Und du?

LENI *zeigt auf das Zimmer von Franz:* Einer muß eingeschlossen sein da oben. Das werde ich sein. Ich werde dich nicht mehr wiedersehen, Johanna. *Pause.* Würdest du die Güte haben und Hilde sagen, daß sie morgen früh an diese Tür klopfen soll, ich werde ihr meine Anweisungen geben. *Pause.* Noch zwei Minuten. *Pause.* Ich verabscheute dich nicht. *Sie geht zum Magnetophongerät.* Die Beweisführung der Verteidigung. *Sie öffnet es.*

JOHANNA: Ich will nicht ...

LENI: Sieben Minuten! Laß doch: sie sind tot.

Fast augenblicklich ist die Stimme von Franz zu hören. Leni geht über die Bühne, während Franz spricht. Sie steigt die Treppe hinauf und betritt sein Zimmer.

DIE STIMME VON FRANZ AM ENDE DES 5. AKTES: Jahrhunderte, hier ist mein Jahrhundert, einsam und ungefüge als Angeklagter. Mein Klient schlitzt sich mit eigenen Händen den Leib auf: was Sie für weiße Lymphe halten, das ist Blut: keine roten Blutkörperchen: der Angeklagte stirbt an Hunger.

Aber ich werde Ihnen das Geheimnis dieser vielfachen Durchbohrung nennen: das Jahrhundert wäre gut gewesen, wenn dem Menschen nicht aufgelauert worden wäre von seinem grausamen Feind, seit Menschengedenken, von jener fleischfressenden Spezies, die ihm den Untergang geschworen hat, von dem reißenden Tier ohne Fell, vom Menschen. Eins und eins macht eins: das ist unser ganzes Mysterium. Das Tier verbarg sich, wir entdeckten seinen Blick, plötzlich, in den wohlvertrauten Augen unserer Nächsten. Dann schlugen wir zu: Präventive Notwehr. Ich habe sie überrascht, die Bestie, ich habe zugeschlagen, ein Mensch ist hingestürzt, in seinem sterbenden Blick habe ich die Bestie gesehen, noch immer am Leben: mich. Eins und eins macht eins: welch ein Mißverständnis!

Woher dieser ranzige und fade Geschmack in meiner Kehle? Vom Menschen? Von der Bestie? Von mir selbst? Das ist dieser Geschmack des Jahrhunderts. Glückliche Jahrhunderte, ihr kennt

unseren Haß nicht, wie solltet ihr die grausame Macht unserer tödlichen Leidenschaften verstehen? Liebe, Haß, eins und ein ... Sprecht uns frei! Mein Klient lernte als erster die Schande kennen: er weiß, daß er nackt ist. Schöne Enkel, ihr gingt aus uns hervor, unsere Schmerzen haben euch geschaffen. Dieses Jahrhundert ist eine Frau, es gebiert, würdet ihr eure Mutter verdammen? He! Antwortet doch! Das dreißigste antwortet nicht mehr. Vielleicht wird es nach dem unseren kein Jahrhundert mehr geben. Vielleicht wird eine Bombe alle Lichter ausgeblasen haben. Alles wird tot sein: die Augen, die Richter und die Zeit.
Nacht! O Gerichtshof der Nacht, der du warst, der du sein wirst, der du bist, ich bin gewesen! Ich bin gewesen! Ich, Franz Gerlach, hier, in diesem Zimmer, ich habe das Jahrhundert auf meine Schultern genommen, und ich habe gesagt: ich stehe dafür ein. Am heutigen Tage und für immer. Eh, was?

Leni ist in das Zimmer von Franz gegangen. Werner erscheint an der Tür des Pavillons. Johanna sieht ihn und wendet sich ihm zu. Ausdruckslose Gesichter. Sie gehen wortlos hinaus. Von «Antwortet doch» an ist die Bühne leer.

VORHANG